Wem Word

PUM DRAMA FER

Argraffwyd gan H. G. Walters (Cyhoeddwyr) Cyf., Arberth

PUM DRAMA FER

GAN

W. S. JONES

GWASG
Y GLÊR

Aberystwyth

1963

I EMYR HUMPHREYS

YR AWDUR

Ganed W. S. Jones yn Llanystumdwy yn 1920, ac yno y mae'n byw gyda'i briod Dora a'u dwy ferch fach Mair ac Elin. Bu am flynyddoedd yn cadw garej yn y pentref, a dechreuodd ysgrifennu ar gyfer cymdeithasau'r ardal. Cerddi digri a straeon byrion a ysgrifennai ar y dechrau, a chyhoeddwyd rhai o'r straeon yn *Y Cymro* ac yn *Y Ddinas*. Troes wedyn at ddramâu byrion, a darlledwyd pob un o'r dramâu a gynhwysir yn y gyfrol hon. Ag eithrio *I Bant y Bwgan* (a ysgrifennwyd, fel *Y Dyn Swllt,* ar gyfer y radio) fe'u cynhyrchwyd hefyd ar lwyfannau. Eleni cafwyd ganddo ddrama dair act, sef *Gwalia Bach,* a gomisiynwyd ar gyfer Gwyl Gelfyddyd Coleg Bangor. Cynhyrchwyd hi gan John Gwilym Jones, a welir yn y llun (chwith) gyda'r awdur.

Fe gofir i W. S. Jones ddod yn fuddugol yng nghystadleuaeth y ddrama fer yn Eisteddfod Genedlaethol Llanelli y llynedd gyda *Dalar Deg*—a gyhoeddir yn fuan gan y Llys. Dyma ran o feirniadaeth Emyr Humphreys arni : "Gwaith awdur o athrylith arbennig, gyda ffraethineb a gwreiddioldeb sydd yn deilwng i'w gosod wrth ochr ffansi ddihysbydd, farddonol Ionesco."

Cred y cyhoeddwyr fod y gyfrol hon yn profi hynny tuhwnt i bob amheuaeth.

Darlledwyd y dramâu hyn gan y B.B.C.

Cynhyrchwyd *Y Gwr Diarth* gan Wilbert Ll. Roberts a'r lleill gan Emyr Humphreys.

Am ganiatad i berfformio neu ddefnyddio'r dramâu hyn ymofynner â'r awdur:
W. S. Jones, Llanystumdwy, Cricieth, Sir Gaernarfon.

RHAGYMADRODD

Pan oeddwn yn y coleg, amser maith yn ôl, cefais y fraint am rai blynyddoedd o dderbyn llythyrau gan ddau o'r llythyrwyr mwyaf dawnus y bûm yn gohebu â hwy erioed. Yr adeg honno yr oedd y pellter rhwng Bangor a Llanystumdwy dipyn yn fwy nag y mae heddiw, a hwy yn eu llythyrau â'm cadwai'n llythrennog ac yn hyddysg yn hanes byw y pentref a'r ardal. Jac (neu J. G. Williams, athro crefft yn ysgol ramadeg Pwllheli yn awr) oedd y naill, a'm brawd Wil (awdur y llyfr hwn) oedd y llall. Yr oedd eu llythyrau i gyd yn llenyddiaeth naturiol, ac felly, heb yn wybod iddo'i hun megis, mewn llythyrau, y daeth W. S. Jones i ddechrau ysgrifennu. Am wn i nad oeddem eisoes, cyn dyddiau'r llythyrau hyd yn oed, wedi gosod sylfeini llafar i'r hyn sydd erbyn hyn mor amlwg yn ei ddramâu. Ffyrdd o ddifyrru'r amser yn ein gwlâu cyn cysgu, er enghraifft, megis dyfalu enw tŷ wrth i'r llall nodi ei drigolion yn wryw a benyw ac ifanc a hen, ond heb eu henwi, neu greu pleidiau pel-droed o hynafgwyr adnabyddus a thrwyadl anghymwys—wrth eu henwau, debyg iawn. Diwylliant y gymdeithas y magwyd ni ynddi oedd gweld pawb yn gymeriad, a dyma'r diffiniad cywiraf y gwn amdano o'r "ffordd Gymreig o fyw." Deuai pobl yn gymeriadau yn yr ystyr o fod yn destun sgwrs a stori trwy ryw broses o fabwysiadu. Byddai ambell un wedi cyrraedd i'w lawn dwf fel cymeriad i'w werthfawrogi mor gynnar ag oedran dechrau ysgol, a'r un un a fyddai byth wedyn i'w "gynulleidfa," wedi ei dynghedu i actio yn ei fabinogi ef ei hun tra byddai byw.

Cam pellach oedd rhoi'r cymeriadau mewn llythyrau. Mewn du-a-gwyn magent briodoleddau newydd, ond pa mor ddychmygol neu beidio oedd rhai o'r pethau a ysgrifennid amdanynt, yr oedd eu cysondeb fel cymeriadau yn parhau. Y rhai mwyaf lliwgar oedd yn ymddangos amlaf yn y llythyrau, a dyna symud yn nes at fyd y ddrama trwy ddethol personau iddi. Yna, mewn un llythyr cefais adroddiad manwl am dderbyn teulu o foch bach yn gyflawn aelodau yn y capel, a dyna daro ag un ergyd i faes dychan a ffantasi, ffurfiau sy'n perthyn i'r gair ysgrifenedig yn hytrach nag i sgwrs. Yn y cywair hwn y mae'r stori fer orfoleddus *Y Gynhadledd*—cynhadledd o gathod.

Ond gyda chymeriadau dynol yr arhosodd W.S., ac wedi ei lwyddiant gyda'r dychangerddi eisteddfodol "Pwrs y Wlad" a'r "Ymgeisydd Aflwyddiannus" mentrodd, ond nid yn ddirybudd, ar ddrama. Ei "rybudd" ei fod â'i fryd ar y ddrama oedd y straeon a gyfansoddai ar gyfer y gymdeithas lenyddol yn y pentref, straeon yn llawn deialog ac wedi eu bwriadu i'w darllen i gynulleidfa. Cafwyd ganddo stori *John Tomos y Siop,* ac ohoni y tyfodd *Y Dyn Swllt* yn stori i ddechrau ac yn ddrama radio ar ddiwedd ei gyrfa, er iddi ymddangos hefyd gydag ychwanegiadau fel drama dair act ar lwyfan.

Pan ddechreuodd W.S. ysgrifennu dramâu byrion y mae'n ddiogel dweud na feddyliai am ddilyn unrhyw ysgol na mudiad ym myd y ddrama. Comedi blwyfol oedd ei ddeunydd a chredai mai portreadu cymeriadau yr oedd. Yr oedd ei gred yn gywir, ac oherwydd eu bod yn bortreadau yr oedd ei gymeriadau wedi crwydro ymhell oddiwrth Gadwaladryddion a Goronwyaid y "gomedi hwyliog" hen ffasiwn. Y mae'n wir bod ganddo barch mawr i'r hen deip o ddrama, parch eithafol a sentimental efallai, ond er iddo dalu aml i deyrnged iddi mewn gair a gweithred yn ei ddramâu ei hun, daeth yn ysgrifennwr newydd a gwahanol "nad ei waethaf," megis. Gwelwyd bod ei waith yn rhagor na chronicl a chomedi, yn deilwng, yn ôl Emyr Humphreys wrth feirniadu *Dalar Deg* yn 1962, i'w osod wrth ochr "ffantasi ddihysbydd, farddonol Ionesco." (Ac fe ddylid crybwyll yma i gefnogaeth a diddordeb cyson Emyr Humphreys fod o help amhrisiadwy iddo).

Am y dramâu eu hunain, y rhagymadrodd gorau iddynt ydyw sylwadau'r awdur ei hun, yn y portread medrus ohono yn *Llais y Lli,* Tachwedd 3, 1962. Dyma ddyfyniadau o'r ysgrif honno :—

"Cred y dylai drama symud yn ei blaen yn gyflym —'dyna pam byddai'n neidio dros y rhagymadrodd.' Nid yw'n hoff o ddisgrifio, ni allai byth gymryd y drafferth o 'sgrifennu nofel. Mae bywyd yn cael ei amlygu yn siarad pobl; mynd at yr elfennau cyffredin, bob dydd hynny a wna yn ei ddeialog . . . Na, ni chredai ei fod yn hen-ffasiwn. 'Mae pob peth ddaw wedi digwydd, a does dim un cyfnod yn ddifyr iddo fo'i hun.' Sut fath o hiwmor, yn ei farn ef, sydd yn ei ddramâu? Math o bathos, yn sicr, ac fel y dyweddodd ynghynt—dim sbeit na chasineb. Dyn felly yw W. S. Jones. Os oes llinyn yn rhedeg drwy'r cwbl, seithug-rwydd y dyn sy'n methu gwneud yr hyn a fynno sydd yma; pathos y dyn bychan mewn cymdeithas. A cheisia osgoi unrhyw ddull ystrydebol o ysgrifennu neu actio."

Drama ddiweddaraf W. S. ydyw *Gwalia Bach,* y ddrama gomisiwn a gynhyrchwyd mor ddisglair gan John Gwilym Jones ym Mangor eleni. Profodd y perfformiad hwnnw nad ar bapur yn unig y mae'r dramâu hyn yn byw. Nid yw'r geiriau ar bapur yn dweud y cyfan amdanynt. Nodiant sydd yma ar gyfer gweld a llefaru a llwyfannu, ac er y ceir pleser o'u darllen, o'u hactio ac ar lwyfan y darganfyddir yn iawn beth sydd ganddynt i'w ddweud.

ELIS GWYN JONES

MAWRTH 1963

CYNNWYS

I BLANT Y BWGAN

Drama radio

Cymeriadau:

Huws y Gweinidog
Robaits
Mrs. Robaits
Tomos y Plisman
Wil Emwnt y garej
Ei Fab
Inspector
Robat Rhos Bach
    Cyhoeddwr, blaenor,
    blaenor llyfr bach,
    lleisiau bechgyn.

(SWN CANU EMYN YN Y CAPEL, GAN ORFFEN, EFALLAI GYDA'R GEIRIAU "DRUGAREDD I DROSEDDWYR GWAEL")

CYHOEDDWR : Mi ddylswn i fod wedi cyhoeddi y bydd y festri 'ma'n agored i'r plant sydd am drio yr Arholiad Ysgrifenedig undebol nos Iau am saith o'r gloch. Pob plentyn i ddwad â'i reitin-pen-dur efo fo.

(SWN POBL YN SYMUD ALLAN)

BLAENOR : Pregeth gall iawn, Mr. Huws. Mi fydda i yn cael *gafael* ar bregethau o'r Hen Destament.

BLAENOR LLYFR BACH : Mr. Huws—wyddoch chi nad ydi'ch enw chi ddim i lawr ar y llyfr bach yma tan 1962? Dyma'ch siec chi . . .

HUWS : Diolch yn fawr. Felna y mae hi. Mae hi wedi mynd yn fyd prysur ar bregethwyr yr un fath â phawb.

BLAENOR : Fasach chi ddim yn medru dwad atom ni yn ystod wythnos y cyfarfodydd gweddïa'? Pregeth fydd gynno ni ar y nos Ferchar fel rheol.

HUWS : Wna i ddim gaddo rwan. Mi gawn weld ymhellach ymlaen. Nos dawch i gyd.

15

Blaenoriaid : Nos dawch.

Robaits : Rydw i'n dwad hefo chi, Mr. Huws. Fedrwch chi ddim symud nes symuda i 'nghar.

(AGOR DRWS)

Huws : Tendiwch yr hen step 'ma. Rydan ni yn symud ymlaen rwan i gael golau mawr uwchben y drws. Mi oleuai hwnnw'r cowrt yma i gyd. O, mae gynnoch chi fflaslamp.

Huws : Mae gynnoch chi libart helaeth yma.

Robaits : Oes. Ple mae 'nghar i deudwch? Fanma y gadewais i o, wrth y drws ochor yma.

Huws : Tydi 'nghar innau ddim yma chwaith.

Robaits : Grym mawr!

Huws : Nagdi yn wir. Fanma 'roedd o. Roeddwn i wedi adael o'n glos y tu ôl i'ch un chi.

Robaits : O, rhoswch, mi awn ni rownd i'r ffrynt. Teulu Terfyna symudodd nhw mae'n siwr. Mi gwelis nhw'n gwneud ambell dro os byddan ni'n hir ar ôl y bregeth.

Huws : Mi fuom ni'n sgit iawn heno beth bynnag . . . ond roedd clo ar fy nghar i. Dyma'r goriad yn fy mhoced i.

Robaits : Dowch inni gael golwg. Oedd y ffenestri i gyd yng nghaead gynnoch chi?

Huws : Oeddan wir, dyna'r peth ola fydda i yn wneud cyn gadael y car. Ymorol fod pob ffenest wedi ei chau a'r drysau i gyd wedi eu cloi.

Robaits : A, dyma nhw. Roeddwn i'n meddwl . . .

Huws : Ond ple mae f'un i?

Robaits : Grym! ia . . . Toes yma ddim ond f'un i. Rhoswch, mi ofynna i i'r twr hogia acw. Mae'r rheina i gyd yn mynd allan cyn y seiat. Robat Henri, hogia, ddaruch chi ddim digwydd gweld neb yn medliach efo'r cerbyda 'ma debyg?

Lleisiau : Naddo wir, Wmffra Robaits.

Robaits : Teulu Terfyna na neb?

Hobat Henri : Toedd 'na neb o'r Terfyn yn y capal. Owen Owens wedi torri asen. Yr heffar goch wedi ei wasgu o bora, a mae'r Doctor yn deud y bydd raid iddo fo aros yn ei wely am . . .

Robaits : Yldi, dos i nol Tomos Plisman. Pera iddo fo

ddwad y munud yma, fod gen i waith pwysig iddo fo.

Huws : Naci wir, Mr. Robaits, o naci, alla i ddim aros mynd i gyfraith. Fum i erioed yn eu gafaelion nhw— y plismyn 'ma. Gweinidog tawel parchus ydw i. Mi fydd yn y papurau newyddion—Gweinidog Pen Gwalia ar goll—ei gar o ar goll. Rydw i wedi bod yn ofalus erioed i ochel cael fy enw yn y papur. Gwrthod cadeirio i'r Rhyddfrydwyr, rhwystro i'r wraig acw agor basâr. Rydw i wedi gwrthod swyddi da—popeth ond cadair y Gymdeithasfa. Ac mi fuaswn wedi . . .

Robaits : Twt twt, ddyn, does neb yn sôn am bapur newydd, prun bynnag mae'n rhy hwyr rwan. Mi fydd Tomos y Plisman yma gyda hyn, ac os ydw i yn nabod Tomos . . .

Huws : Rydw i *yn* ei nabod o. Mi wneith fôr a mynydd o'r achos lleiaf. Fo ddaeth acw pan aeth Idwal hogyn y codwr canu ar draws ci'r person efo'i feic. Mi droth y traffic dros ddwy filltir o'r ffordd dros Bont y Cwrt er mwyn iddo fo gael mesur. A hynny fis Awst, a channoedd o gerbydau ar y ffordd.

Robaits : Ond mae'ch car chi wedi diflannu. Tydach chi ddim am ei roi o yn bresant i neb ydach chi? Rhaid dal y lleidar a'i gosbi o.

Huws : "Eto y rhai diangol hwy a ddiangant, ac ar y mynyddoedd y byddant hwy i gyd fel colomenod y dyffryn, yn griddfan, bob un am anwiredd."

Robaits : Ia, mae'r Diarhebion fel llyfr "Pawb ar Bopeth," adnod i bob dim.

Huws : Eseciel, Robaits, Eseciel.

Robaits : Dyma Tomos yn dwad : mae gynno fo dortsh fel potsiar.

Tomos : Mi adewis fy swper ar ei hanner.

Robaits : Ylwch Tomos, rhaid ichi ddal y lleidar, a hynny'n fuan. Roeddan ni'n meddwl mai teulu Terfyna oedd wedi symud . . .

Tomos : Ara deg, ara deg ddyn, rhowch yr hanes yn daclus imi. Tydi hyd yn oed plisman ddim yn cael ei dalu am ddarllen meddylia.

Robaits : Ydi,—nagdi. Wel mi gyrhaeddis y capel 'ma heno am bum munud i chwech, ac mi adewis y car yr ochor

17

bella i'r steps wrth y drws ochor. Daeth Mr. Huws 'ma wrth fy nghwtyn i, a mi adawodd ei gar tu ôl i f'un i, a mi cloeodd o, do, bedwar drws. A dyna ni'n dau i mewn i'r capel efo'n gilydd.

Tomos : Oedd clo ar eich car chi, Robaits?

Robaits : Nag oedd. Fasa clo fawr o werth, toes yna ddim ffenast ar ddrws y dreifar. Mi ddaethom allan o'r capel. Tendiwch y step 'na !' medda fi wrth Mr. Huws. Mae gynno fo fflaslamp. Dyma ni at y cerbydau—ond doedd dim ond lle buo nhw. Wedyn dyma ni i'r ffrynt 'ma a chael hyd i 'nghar i. Dyna chi'r stori i gyd yn daclus. Rwan be 'dach chi am wneud Tomos?

Tomos : Rhoswch chi imi gael fy llyfr. Rhaid imi gael eich enw chi'n llawn Mr. Huws, a'ch cyfeiriad chi.

Robaits : O diar, ei gar mae'r dyn wedi golli, nid ei enw.

Tomos : Peidiwch chi â thrio bod yn smart, Roberts. Rhaid dechrau o'r dechrau. Parch. Robert Huws, Myfyrfan.

Huws : 'F' fydda i yn roi, nid 'V'.

Tomos : Reit, Myfyrfan, Pen-Gwalia. Oes gynnoch chi ffôn yn y tŷ?

Huws : Oes. Pengwalia 239.

Tomos : O, a nymbar eich car chi os gwelwch chi'n dda.

Huws : Mae arna i ofn na 'wn i ddim. Toes fawr er pan mae'r car gin i. Mae yna 'X' i fod ynddo yn rhywle.

Tomos : Wel, wel, rydach chi'r pregethwrs yn setiad anobeithiol. Nabodech chi'r car petaech chi'n i weld o?

Huws : Mae yna 'X'. Mae'r leisans dreifio gen i. Hwyrach fod y nymbar ar hwnnw.

Tomos : Nac ydi. Ydi'r siwrans gynnoch chi? Gallsa hwnnw fod yn help.

Huws : Ydi . . .

Tomos : Dowch weld. Expiring 20th July, 1957. Mae hwn wedi darfod. 'Tae waeth mae'r nymbar yma. Austin 10. Reg. No. MXS 411. Pa flwyddyn oedd, neu ydi'ch car chi?

Huws : 1938.

Robaits : Cofiwch mai pregethwr ydi'r dyn. Rydach chi'n ei holi o fel tae o'n injiniar.

Tomos : Rwan mi awn ni i gael golwg ar yr union le lle'r oedd y car yn sefyll. Cerddwch chi tu ôl i mi. Ac mi chwiliwn ni'r lle yn fanwl yng ngolau'r dortsh yma. Rwan, un lein tu ôl i mi.

Huws : Fan yma roedd y ddau gar.

Robaits : Mae yna falwen yn y gwter yma Tomos.

Tomos : Go brin fod wnelo honno ddim a'r cês.

Robaits : Meddwl ron i ei bod hi wedi dwad yma i roi tipyn o styr mewn petha.

Tomos : Rwan, roedd trwyn y car cynta wrth y steps yma. Beth ydi hyd eich Ffordwn chi, Robaits?

Robaits : Mi anfona i i'r ffyrm.

Tomos : Robaits!

Robaits : Rhyw dair llath.

Tomos : Reit. Un, dwy, tair. Un, dwy. Rwan yr ydan ni yn sefyll yn yr union fan y safodd y lleidr rhyw awr o'n blaenau ni. A, mi gesiais i hi'n weddol, wir. Drychwch ar lawr.

Huws :   )   Tyrnsgriw.
Robaits :)

Tomos : Ie, tyrnsgriw. Carn melyn a seimiach ar ei garn o. Gyfeillion, fydda i ddim yn hir yn dal y lleidr. Rhoswch, mi lapia i hwn yn fy hances poced. Robaits, rydach chi yn ddyn go glyfar. Ydach chi wedi ei gweld hi bellach?

Robaits : Wel, roedd clo ar gar Mr. Huws ac mae'n debyg i'r lleidr gymryd tyrnsgriw i ddatod y ddwy sgriw sy'n dal y dwrn, ac agor y drws. Wedyn . . .

Tomos : Wedyn be', Robaits?

Huws : Methu dallt rydw i sut na fasa ni wedi clywed rhyw dwrw o'r capel. Sŵn y car yn cychwyn . . .

Tomos : Nid ffwl ydi perchennog y tyrnsgriw yma Mr. Huws . . . ac nid ei hunan roedd o wrth y gwaith. (yn isel) Eu gwthio gafodd y ceir. Mae gan Wil Emwnt y garej grymffast cry' o fab. Mi gwelis o â'm llygad fy hun yn codi car o'r ffos.

Robaits : Ond fasa Wil Emwnt y garej byth yn meiddio.

Tomos : Na fasa fo wir? Nid dyma'r tro cynta imi fod mewn hobl efo fo. Pan gollodd Doctor Pritchard ei olwyn sbar. Lle'r oedd hi? Mi fethais i â phrofi dim y tro twnnw. Ond toes yna ddim methu i fod y tro yma. Na, toedd hi ddim yn anodd i ddau ddyn cry wthio car heb fod yn fawr drwy giat y capel yma. Wedyn yr oedd ganddyn nhw allt i lawr bob cam i'r garej.

ROBAITS : Clyfar gynddeiriog, P.C. Tomos. Rhyfedd iawn ichi fethu profi achos yr olwyn sbar. Mi fyddwch yn siwpar rhag blaen, gewch chi weld.

TOMOS : Welsoch chi rywbeth o'i le yn fy namcaniaeth i?

ROBAITS : Mae popeth o le ynddi hi. Mae'n well imi dewi, mi gewch glywed gan Wil Emwnt mae'n siwr.

HUWS : Mr. Robaits bach, peidiwch ag anghofio eich hun. Hefo plisman rydach chi'n siarad cofiwch.

TOMOS : Ia, a phlisman eitha abal hefyd. Mi ga i eich gweld chi eto ymhellach ymlaen, mae'n siwr.

ROBAITS : Rydw i am fynd â Mr. Huws efo mi am damaid o swper. Mae nymbar fy ffôn i gynnoch chi?

TOMOS : Ydi, ond go brin y bydda i ei angen o. Mae'n o debyg y do' i â char Mr. Huws acw o hyn i ben yr awr. Rwan mi ai i gael sgwrs fach glên efo Mr. Wiliam Emwnt a'i fab, Agents for Austin, Standard and Triumph.

(CAR YN CYCHWYN)
(CURO HIR AR DDRWS TY: DRWS YN AGOR)

TOMOS : Ydi dy dad yn tŷ?

MAB : Ydi, mae o newydd ddwad rwan.

TOMOS : Oho, rydw i am ddwad i mewn.

MAB : Fasach chi ddim yn sychu'ch traed yn y gratin?

TOMOS : Lle mae dy dad?

MAB : Mae o trwodd yn y gegin bach yn cael i swper. Steddwch yn fanna, ond tendiwch wrth godi. Mae pawb yn taro ei ben yn yr hen silff 'na.

TOMOS : Wiliam Emwnt.

WILIAM EMWNT : Sut 'dach chi, Tomos?

TOMOS : Mae'n debyg eich bod chi'n gwybod fy neges i.

WILIAM : Wel nag ydw mae arna i ofn wir—os nag ydach chi'n dal i feddwl mai fi ddwynodd olwyn sbar Doctor Pritchard.

TOMOS : Mae gen i fy syniada fy hun ar yr achos hwnnw, ond nid dyna pam y gelwais i heno. Mae gen i achos mwy difrifol o gryn dipyn i drafod hefo chi.

20

WILIAM : Oes isio i'r hogyn yma fynd allan?

TOMOS : Nag oes.

WILIAM : Bedach chi'n rhythu arno fo fel tasa cyrn ar i ben o?

TOMOS : Mi fyddwch chi, Wiliam Emwnt, yn tynnu eich cyrn chi i mewn pan glywch chi fy neges i. Ac am y mab yma—wel, gwneud tipyn bach o glandro roeddwn i. Pa bryd buost ti'n gwthio car ddwaetha ngwas i?

MAB : Heno am wn i.

TOMOS : Diolch am ateb ar ei ben.

MAB : Mi fum i'n gwthio dau ohonyn nhw.

TOMOS : Gwell fyth. Dal di i ddweud y gwir, machgen i, ac mi gliriwn ni'r achos yma'n fuan iawn. Dau Forus oedd y ceir?

MAB : Naci, Ffordyn ac Austin oeddan nhw.

TOMOS : Wel dyna fo, mae'r achos wedi ei brofi. Dywed i mi tra byddi di'n cael hwyl ar ddweud y gwir—beth ydi nymbar yr Austin wthiaist ti?

MAB : WP 6932.

TOMOS : Cymer di funud i ail-feddwl.

WILIAM : Ylwch Tomos, wn i ddim i ble rydach chi'n gyrru'ch ceffyl, mae croeso ichi holi'r hogyn yma, ond tydach chi ddim i'w groes-holi o. Mi a i ar fy llw fod pob ateb y mae o'n i roi ichi yn wir.

TOMOS : Ewch mae'n debyg iawn . . . Wyt ti'n siwr ngwas i, nad oedd yna ddim X yn nymbar yr Austin yna fuost ti'n wthio?

MAB : Wel ydw siwr.

TOMOS : Mae arna i ofn na twyt ti ddim yn deud y gwir.

WILIAM : Tomos, nid dyma'r tro cynta ichi'n beio ni ar gam. Mi ddioddais i'r cwbwl yn dawel y tro dwaetha yn do? Tydw i ddim am ffraeo efo chi'r tro yma chwaith. Rydw i'n rhyw fath o'ch parchu chi cofiwch—yr un parch ag sydd gen i i'r eglwys a'r siop Elin Jos—y petha sydd yma er erioed.Ar yr un pryd rydw i am ichi ddallt na fydda i byth yn sbio i fyny nac yn sbio i lawr ar blisman. Mae plisman a bwgan brain yn golygu'r un peth yn union i mi. Duw annwyl ddyn, peidiwch ag edrych mor felltigedig o bwysig.

TOMOS : Tydw i ddim wedi dwad yma i ofyn eich barn

chi nac i wrando pregeth. Yli was . . . ei di ar dy lw
nad MXS 411 oedd nymbar yr Austin fuost ti a dy dad
yn wthio heno?

WILIAM : Doeddwn i ddim efo'r hogyn yma yn gwthio
unrhyw gar heno, ac mae'n rhaid imi gael gwybod
gynnoch chi'r funud yma am ba achos rydach chi'n son.
Rydw i yn y niwl.

TOMOS : Ydach chi'n nabod y tyrnsgriw yma?

WILIAM : Mi welais ugeiniau o dyrnsgriws tebyg iddo fo.
Mae gen i ddau neu dri yn y gweithdy rwan. Mae'r
rhai carn melyn yna yn gyffredin iawn.

TOMOS : Wil Emwnt, eich tyrnsgriw chi ydi hwn. Ac yn
iard y capel y dois i ar ei draws o heno.

WILLIAM : Fedra i ddim gweld fod hynny'n achos difrifol
iawn. Ddoe ddwaetha'n y byd mi ges i falwen yn fy
nghabaitsen.

TOMOS : Rydach chi'n gwamalu Emwnt a hynny i ddim
ond i ymddangos yn ddidaro imi. Mae o'n beth sy'n
cael i wneud yn amal iawn. Ydach chi'n cofio'r Saesnes
honno oedd yn aros efo'r Morgans y llynedd. Mi aeth
hi i hel mwyar duon a hithau newydd rwymo ei mam
druan wrth y stof â'i phen yn y popty.

MAB : Mae yma gar wrth y pwmp isio petrol.

TOMOS : Aros di ble rwyt ti, mab. Does yr un ohonoch i
symud nes y bydda i wedi gorffen efo chi. A pho gynta'r
atebwch chi 'nghwestiyna i, cynta'n y byd y bydda
inna'n mynd adra.

WILIAM : Be ar y ddaear ydach chi isio wybod ddyn?
Deudwch yn glir i be daethoch chi yma.

TOMOS : Os oes raid imi adrodd ei bader wrth berson . . .
dyma'r hanes ichi . . . mi ddiflannodd car Mr. Huws,
Pengwalia heno o ffrynt y capel.

WILIAM : A'r tyrnsgriw?

TOMOS : Ia, y tyrnsgriw. Roedd clo ar gar y gweinidog.
Ar lawr lle 'roedd y car wedi ei barcio y cefais i hwn.
Chi pia fo. Yr erfyn agorodd y clo wrth gwrs.

WILIAM : Tomos, chydig iawn wn i am y capel, a llai fyth
am gar gweinidog Pengwalia. Ac am y tyrnsgriw . . .
rydw i wedi deud wrthoch chi'n barod fod yna
gannoedd o rai felna hyd y patches yma.

Tomos : Felly rydach chi'n deud na fuoch chi ddim trwy giat y capel heno?

Wiliam : Pnawn Llun diolchgarwch y bum i drwyddi hi ddwaetha.

Tomos : Rhag cywilydd ichi . . .

Wiliam : Tydach chi hanner . . .

Tomos : Belled ag eich bod chi'n mynnu gwadu, mae'n rhaid imi eich holi chi'n fanwl am eich symudiadau heno.

Wiliam : Rydw i'n barod.

Tomos : Ymhle roeddach chi amser te heno?

Wiliam : Yn cael te.

Tomos : Ymhle?

Wiliam : Yma, yn y gegin bach, ar y gadair yma. Wy wedi ei ferwi . . .

Tomos : Faint o'r gloch oedd hi?

Wiliam : Deunaw munud wedi pedwar.

Tomos : Pam deunaw munud ysgwn i?

Wiliam : Am mai dyna oedd y cloc bach yma'n ddweud. Roedd arna'i isio dal bus chwarter i bump yn Glandwy-fach. Job tacsi, dyna pam ron i â'm llygad ar y cloc. Chwarter awr i gael fy nhe a deng munud i ddal y bus.

Tomos : Oes yma rywun fedar gadarnhau'r peth ddeudsoch chi rwan?

Wiliam : Cadarnhau?

Tomos : Ia cadarnhau ddeudis i.

Wiliam : Nel bach Ty'n y Gongol oedd efo mi yn y car. Mae hi'n nyrsio yn Lerpwl, ac wedi cyrraedd bellach mae'n siwr, ac wedi dechrau ar ei gwaith hefyd. Gweithio'r nos yr wythnos yma, meddai hi . . .

Tomos : Fydd hi fawr o help ichi mae arna i ofn. Faint o'r gloch oedd hi arnoch chi'n cyrraedd y ty yma yn eich ôl?

Wiliam : Drychis i ddim ar y cloc. Tua pump mae'n siwr,

Tomos : Be wedyn?

William : Darllen a phendympian bob yn ail nes daeth dyn i'r drws. Peipen ddwr i gar o wedi bystio yn ymyl Tai Lôn, ac wedi llifo hyd y plygia. Mi es efo fo a'i douo yma.

Mab : Fi osododd beipen newydd iddo fo. Mi ddaeth nhad
â'r plygia i'r popty i sychu.

Wiliam : Do, ac mi fu'r dyn yma am chwarter awr. Mi
daniodd y car ar ei union wedyn. Newydd fynd yr
oedd o pan oeddech chi'n curo'r drws.

Tomos : Welais i ddim golwg o gar. Ta waeth, mi awn ni
allan am dro bach rwan, a hwyrach y cawn ni daro
cipolwg ar y garej yr un ffordd . . .
(CURO'I BEN YN ERBYN Y SILFF)
Go drapia las, i be rhôi neb silff mewn lle cyn wirioned?

Wiliam : Rhoswch, mi ro i olau.

(SWN SYMUD—GAREJ ETC.)

Mab : Dyma fo'r Ffordyn bach fum i yn ei wthio. Wedi
chwythu gascet mae o.

Tomos : Ond car Jones y post ydi hwn?

Wiliam : Mae car Jones yn torri i lawr weithiau, wyddoch
chi.

Tomos : Ond welais i hwn yn mynd fel peth gwirion rownd
y bont yma ddoe, a llond y pen ôl o negas.

Wiliam : Hwyrach wir.

Mab : A dyma'r Austin WP. Hwn fydd gen i yn cario'r
plant i'r ysgol.

Tomos : Ond mae hwn yn Austin 18 . . .

Wiliam : Austin 12, a ddeudodd neb mai 10 oedd o.

Tomos : Bedach chi'n gadw dan y plancia 'ma?

Wiliam : Cadw dim. Twll gwag sydd yna. Chae neb byth
gar i hwnna. Dyna oedd yn eich meddwl chi?

Tomos : Mae llawer o betha yn fy meddwl i. Dyma un
ohonyn nhw—rydw i'n mynd adra rwan i ffonio'r
Inspector, ac ar ôl iddo fo glywed fy neges i, mae'n
debyg iawn y bydd o'n awyddus i gael sgwrs efo chi.
Da boch chi, Emwnt.

Wiliam : Nos dawch. *(SAIB)*

(CAR YN STOPIO)

Inspector : Wel, Tomos?

Tomos : Rydach chi wedi cyrraedd i'r dim, Inspector.
Rhagluniaeth. Mae yna gar wedi ei ddwyn o gowrt
y capel. Cael golwg bach hyd y fan yma 'ron i rwan.

Inspector : Ydach chi wedi gwneud rhywbeth?

Tomos : Naddo, un dim. Meddwl am eich ringio chi roeddwn i yn gynta peth cyn gweld neb na dim. Mae gynnoch chi eich hun efo'r helyntion 'ma.

Inspector : Oes. Neidiwch i mewn, Tomos. Mi awn ni i Ben y Garn i gael sgwrs efo Mr. Hughes.

(CAR YN CYCHWYN)

Tomos : Efo Mr. Huws?

Inspector : Ia, Mr. Huws. Fo pia'r car ynte?

Tomos : Ia, ond sut gwyddech chi?

Inspector : Roberts fuo ar y ffôn efo mi, a mi addewais alw yno heno. Faswn i ddim wedi'ch trwblo chi, ond mae yna dair neu bedair o giatiau i'w hagor ar y ffordd.

Tomos : Mae modd mynd heibio'r stabla gora. Toes 'na'r un giât ar y ffordd honno.

Inspector : Mi dorris i spring flaen trw'i hanner yn y fan honno ryw dro.

Tomos : Erbyn ichi ddeud, rydw inna'n cofio imi dorri tair sbocsan fy meic yno ddiwrnod dipio. Oes gynnoch chi ryw syniad lle gall'sa'r car yma fod, Inspector?

Inspector : Nac oes gin i, os nad ydi o beidio bod yn cuddio yn un o'r pitiau yn garej Wil Emwnt.

Tomos : Synnwn i'r un hadan. Fasa dim gwell i ni'n dau fynd i gael golwg?

(CAR YN STOPIO: GIAT GYNTA)

Inspector : Ydach chi am agor y giat yna?

Tomos : Rhoi pwniad iddi efo bympar y bydd Robaits.
(SWN Y GIAT YN SYRTHIO)
Drapia las. Rhoswch imi i chodi hi. Mae sôn am giatia Pen y Garn.

Inspector : Gadewch hi'n agored. Does yma ddim i fynd i'r lôn yma'n nagoes?

(DRWS Y CAR YN CAU: CAR YN CYCHWYN)

Tomos : Nagoes. Dim ond 'rhen ddefaid yma, a mae'n well gin rheini fynd dros y cloddia.

Inspector : Welsoch chi'r un cymeriad amheus o gwmpas heno debyg?

Tomos : Naddo wir. Tua'r tŷ acw y buom mi hwya'. Rhoi

troed newydd ar y soffa. Duwc! Dacw ichi glogyn nobl.

INSPECTOR : Clogyn?

TOMOS : Y ceiliog ffesant acw. Traed arni, ne mi collwn o gymra fy llw. Drapia las. Mi fasach wedi cael croeso gin Mrs. Owen, mynd adra hefo hwnna.

INSPECTOR : Oes fanma giat eto?

TOMOS : Oes rownd y tro yma. O, mae hi'n gorad ddyliwn i. Does gynnon ni ddim ond yr union yma rwan a giat yr iard.

INSPECTOR : Mae hi'n hen bryd. Mi ddeudis i air wrth Mrs. Huws yn Nhregwalia rhag iddi fynd yn anesmwyth.

TOMOS : Ron inna wedi meddwl yn siwr. Dyma ni, Inspector. Ei adael o yn fanma fydd ora ichi. Mae 'rhen iard yna'n rhwtra, dwi'n siwr.
(CAU DRYSAU'R CAR ETC.)
(CWN YN CYFARTH)
Tydi drugaredd fod y dortsh yma gin i.

INSPECTOR : Daliwch hi ar y beudai yna.

TOMOS : Gweld yma fydai clyfar ydach chi? Fforma byddai'r hen sgweiar yn byw ers talwm.

INSPECTOR : Na, meddwl gallsai rhyw hogia gwirion ddwad â'r car yma a'i roi o i mewn yn un o'r rhain.

TOMOS : Ond pam dwad â char Mr. Huws i'r fanma, Inspector? O, dacw rywun yn agor y drws. Mi waedda i mai ni sydd yma. Mae pobol yn dychryn wrth weld plismyn weithia.

INSPECTOR : Twt, does ar blant yr oes yma ddim ofn plismyn. Peth arall, mae Mrs. Roberts yn ein disgwyl ni.

MRS. ROBAITS : Ddaethoch chi? Mae'r iard yn sobor o fudur. Rydan ni mewn powlan yma braidd. Yn derbyn pob dwr wyneb. Dowch i mewn. Tua'r gegin y maen nhw. Yn mynd i gael swper. Wedi bod yn ffonio a ballu. Ddowch chi ddim i gael tamaid efo nhw?

INSPECTOR : Peidiwch â hwylio dim imi Mrs. Roberts. Wnes i ddim ond codi oddi wrth y bwrdd.

MRS. ROBAITS : Twt. Rhowch eich cap o'ch llaw yna fanma. Dowch trwodd. Ydach chi wedi cael swper, Tomos?

Tomos : Mynd i ddechra ron i pan ddoth yr hogyn petha
Tai Ffatri yna i alw arna i.

(DRWS YN AGOR)

Mrs. Robaits : Dyma nhw wedi dwad ichi. Steddwch yn y
gadair -wrth-tân Inspector. Cerwch chitha wrth ochor
Wmffra ar y soffa i gael tamaid, Tomos.

Huws : Ddaruch chi alw efo Mrs. Huws, Inspector?

Inspector : Do, mi eglurais i'r cwbwl iddi, a mi ddeudis y
caech chi ddwad adra efo mi.

Huws : O, diolch yn fawr.

Robaits : Roeddan ni wedi trio ffonio iddi droeon. Yn y
pen hwnnw mae'r drwg mae'n siwr. Mi gawsom
drwodd atoch chi ar ein hunion.

Mrs. Robaits : Mi gymrwch chitha panad o ddiod yn eich
llaw, Inspector?

Inspector : Dim ond panad 'ta. Diolch.

Mrs. Robaits : Deud y drefn ron i wrth y dynion ma rwan
am eich tynnu chi allan i ddim byd.

Inspector : O.

Mrs. Robaits : Ia, mi ddylen nhw fod wedi holi'r twr
hogia yna y tu allan i'r capel. Mi wyddai'r rheina
rywbeth am yr helynt ichi neu tydi f'enw i ddim yn
Leusa Robaits.

Robaits : Ond 'toedd yr hogia i gyd yn y capel, Leusa. A
pheth arall, tasa wnelo nhw rywbeth â chuddio'r car,
fasan nhw ddim yn fan honno wrth y giat yn smocio'n
braf, reit siwr ichi.

Inspector : Rydach chi o'i chwmpas hi, Robaits.

Mrs. Robaits : Tamad bach o'r sandwich yma, Inspector.

Inspector : Dim diolch. Ron innau'n ama mai tricia plant
oedd cuddio'r car, ond erbyn hyn rydw i'n weddol
sicr o un peth.

Huws : Ia, Inspector?

Inspector : Mi fwriwn ni am funud mai'r hogia fuo'n
chwarae castia. Reit. Ydach chi'n meddwl basa nhw
wedi trafferthu i symud y car cyntaf i ffrynt y capel
i gael lle i fynd â'r ail gar, car Mr. Hughes yma, i'r
ffordd. Dim peryg. Mi fasan wedi rhuthro am y car
cynta gawsan nhw, a'i guddio fo yn rhywla heb fod

ymhell, a'i gwneud hi am adra gynta medran nhw.

ROBAITS : Rydach chi'n iawn Inspector. Fy nghar i fasa'r hogia wedi ddewis.

MRS. ROBAITS : Am wn i na fyddai hynny'n drugaredd â phawb. Rydach chi'n sobor o ddifalch, Wmffra. O mae golwg ar yr hen gar yma. I feddwl ei fod o'n cael i adael o flaen y capel. Mi fydd yn dda gin i gweld hi'n dwad yn ddydd byr . . .

INSPECTOR : Ia. Mr. Huws, mae eich car chi wedi ei ddwyn am mai eich car *chi* ydi o.

HUWS : Bedach chi'n feddwl Inspector? Ydach chi'n meddwl fod yna rywun â'i ddant yna i?

INSPECTOR : Mae arna i ofn mai dyna'r gwir. Mi gymrodd y lleidr neu ladron drafferth i symud car Mr. Roberts yma er mwyn cael gafael ar eich car chi.

TOMOS : Mae hi'n berig fod yr Inspector yn iawn, Mr. Huws. Pe gwelech chi mor ddeheuig fuo fo'n dal merch y Morgans ddechra ha.

HUWS : Ond fedra i ddim meddwl am neb yn y cwm yma â phwyth i'w dalu'n ôl imi. Wnes i ddim ond fy ngora i bob rhai ohonyn nhw er pan fu farw William Williams yr hen weinidog. Eu bedyddio nhw a'u claddu nhw a sgwennu llythyra dirifedi drostyn nhw. A phobol glên iawn gwelais i nhw . . .

INSPECTOR : Raid ichi ddim cyfyngu eich meddwl i'r cwm yma, Mr. Huws.

HUWS : Ond ble arall?

INSPECTOR : Triwch chi feddwl yn dawel. Oes yna rywun yn rhwla fasach chi'n alw yn elyn i chi?

HUWS : Na wir, fedra i feddwl am neb.

ROBAITS : Meddwl ron i rwan, Inspector, tasa gin i elyn yn rhwla, a bod gin i isio dial arno fo, ymosod arno fo noson dywyll ne roi gwenwyn yn ei fwyd o, neu— wel mae na lawer o bethau wnawn i iddo fo cyn dwyn ei gar o.

MRS. ROBAITS : Cymer hi'n ara deg, Wmffra. Ffarmwr wyt ti cofia, nid plisman.

INSPECTOR : Na, mae o'n eitha ditectif hefyd, ond ei fod o'n mynnu mynd gam o mlaen i. Ydi'r manylion gynnoch chi Tomos? Rhif y car, ei oed o, a'i liw o . . .

Tomos : Ydi. *(TROI TUDALENNAU)* Austin 10, 1938. Un du. Reg. No. MXY 411.

Inspector : Faint sy ers pan mae'r car yma gynnoch chi?

Huws : Rhoswch chi. Cwta dwy flynedd. Y lle cynta buom i hefo fo oedd cyfarfod misol Pwllcrwn fis Ionawr y llynedd.

Inspector : Triwch hel eich meddwl yn ôl. Tua'r amser prynsoch chi'r car . . . 'sgynnoch chi ddim cof i neb sylwi ar y digwyddiad? Ddeudodd neb ddim wrthoch chi—rhywbeth tebyg i hyn . . . "Mae hi'n braf ar bregethwyr . . . digon o bres, ceir newydd amser fynno nhw . . ."

Huws : Tydw i ddim yn gweld fod a wnelo hyn ddim â'r achos,—na chymerodd neb fawr o sylw o'r car.

Inspector : Beth am y garej fydd yn ofarholio'ch car chi. Ddeudson nhw?

Huws : Fydda i byth yn deintio trwy ddrws unrhyw garej. Lladron ydi'r garages yma.

Mrs. Robaits : Rydach chi yn eich lle Mr. Huws. Roedd Wmffra yn talu dros ddeg punt ar hugain i Wil Emwnt rwan am rypârs i hwn. Wnaeth o ddim ond rhoi rhyw grown wheel newydd yn yr injan, a eto wneith o ddim cychwyn, os gwelwch chi'n dda. Rydan ni'n gorfod rhoi'r tractor o'i flaen o bob bore. Mi gollson y lorri laeth ar i gownt o ddwywaith yr wsnos dwaetha.

Robaits : Na, meddwl roedd yr Inspector mae'n siwr fod rhywun yn gofalu am ei oelio a'i seimio fo ichi.

Huws : Idwal, hogyn y codwr canu fydd yn ei hwylio fo'n barod at y Sul imi. Mi ddaw acw bob pnawn Sadwrn. Hogyn da ydi o. Wedi hen arfer efo peiriannau. Dreifio Stêm Rowlar mae o ychi ers pan adawodd o'r ysgol.

Inspector : Lle byddwch chi'n cael petrol?

Huws : Yn y Garej Goch ar y gornel o flaen y tŷ acw.

Inspector : Garej y Sais yna—Baines?

Huws : Ia. Un cwta ydi o hefyd. Rydw i wedi prynu galwyn o betrol gynno fo bob wythnos ers dwy flynedd, a phan oedd Idwal yn cwyno, mi ofynnais iddo fo bympio'r teiars imi. Mi gododd chwecheiniog arna i— ac mi gadwodd y pedwar cap bach sydd ar y lle rhoi gwynt.

Tomos : Ar y falfiau.

Huws : Ia, dyna nhw—y falfiau.

Tomos : Ar eich traws chi, Inspector, ond meddwl ron i os medrai dyn ddwyn cap falf, y medrai o ddwyn car hefyd.

Robaits : Grym mawr! Fedrai o ddim rhoi car yn ei boced.

Inspector : Tydw i ddim am ymyrryd mwy nag sydd raid imi yn eich materion preifat chi, ond deudwch imi : ymhle prynsoch chi'r car yna?

Huws : Nid ei brynu o wnes i. Ei gael o.

Mrs. Robaits : Chware teg wir. Yr eglwys acw wedi ei roi o'n bresant ichi. Mi allsan fentro ei roi o.

Inspector : Oedd yna ryw aelod ar y pryd yn erbyn rhoi'r car ichi Mr. Huws?

Huws : Nid yr eglwys acw rhoth o imi . . .

Inspector : O.

Huws : Naci, car fy nhad yng nghyfraith oedd o. Mi fu farw ychydig dros ddwy flynedd yn ôl, a gadael y car imi yn ei wyllys.

Inspector : Ydach chi'n cymryd nodiadau, Tomos?

Tomos : Ydw. Tad Mr. Huws wedi rhoi y car yn ei wyllys i Mr. Huws.

Inspector : Enw a chyfeiriad eich tad yng nghyfraith?

Huws : Ifan Williams, Rhos Bach, Pengwalia.

Inspector : Rhos Bach, rhyw ddwy filltir o'r dre? Gwr gweddw oedd Ifan Williams?

Huws : Ia.

Inspector : Oedd eich gwraig chi yn un o deulu mawr, Mr. Huws?

Huws : Un o bedwar o blant. Roedd ganddi hi dri brawd : Ifan, Wiliam a Robat. Mi fu Ifan farw flwyddyn yn ôl. Adra mae Robat a Wiliam yn ffarmio Rhos Bach.

Inspector : Ydach chi ar delerau iawn efo'r ddau?

Huws : Ydw, gweddol wir. Go chydig fyddai'n weld arnyn nhw. Rhai sal am gapel fuon nhw erioed.

Inspector : Fyddan nhw'n galw acw weithiau, neu fyddwch chi yn galw yn Rhos Bach?

Huws : Amser claddu Ifan y bum i ddwaetha, a rhai go gartrefol ydyn nhw. Chydig iawn maen nhw'n i fynd i unman.

ROBAITS : Mi fyddan yn dwad i'r dre i siopio bob wythnos debyg?

HUWS : Mi fydda i'n gweld eu car nhw yn y dre weithia, ond go chydig fydda i'n weld arnyn nhw acw.

INSPECTOR : Oedd y brodyr yn fodlon ar ewyllys eu tad?

HUWS : Fedra i mo'ch ateb chi. Y wraig acw fu'n trefnu petha hefo nhw. Wedi'r cwbwl, trwy briodas yn unig rydw i'n perthyn iddyn nhw'n te?

INSPECTOR : Cael at wreiddyn y drwg. Dyna fy musnes i Mr. Huws. Hola i ddim mwy arnoch chi heno. Mi awn ni am adra. Hwyrach cawn ni sgwrs eto ar ôl imi gael golwg ar hen lanciau Rhos Bach.

TOMOS : Duwc, mae hi bron yn hanner nos.

MRS. ROBAITS : Nac ydi wir, Tomos. Mae hwn hanner awr . . .

INSPECTOR : Nos dawch i gyd, a diolch yn fawr ichi, Mrs. Roberts.

ROBATS : Peidiwch â phoeni gormod Mr. Huws. Mi ddaw yr hen gar i'r fei. *(SAIB)*

(SWN CERDDED)

TOMOS : Oeddach chi ddim yn teimlo fod Mr. Huws yn cadw rhywbath yn ôl neithiwr Inspector?

INSPECTOR : Dydw i ddim yn hollol siwr eto. Mi fydd yn haws dilyn petha siawns ar ôl cael sgwrs efo hen lanciau Rhos Bach 'ma.

TOMOS : Drapia las.

INSPECTOR : Bedi matar?

TOMOS : Wedi dwad heb 'y mhiball rydw i.

INSPECTOR : Tasach chi'n blisman ar eich blwyddyn gynta, Tomos, mi faswn i'n eich atgoffa chi o'r rheolau. Cymerwch sigaret o hwn. Ydi'r llyfr nodiadau gynnoch chi?

TOMOS : Ydi mae o gin i, ond mi fydd yn ddigon anodd gin i roi dim i lawr ynddo fo bora ma.

INSPECTOR : Bedach chi'n feddwl. Ydach chi ddim yn dda?

TOMOS : Rhyngoch chi a fi . . . mi rydw i'n llawiach efo Wiliam a Robat Rhos Bach yma. Mi fyddai'n cael dwad yma i saethu amser fynna i, a thrwy'r rhyfel mi fyddwn yn cael pwys o fenyn yma bob wsnos. Talu

31

amdano fo wrth reswm . . . menyn da oedd o hefyd a chysidro nad oedd yma ddim pwt o ddynes. Dagrau fel barrug ar ei wyneb o. Mi fasa'r hen bresiar yma wedi cael y gora arna i ers talwm onibai am fenyn Robat a Wiliam.

INSPECTOR : Roeddach chi'n mentro. Mi wn i am amal i hogyn da sydd wedi colli ei gôt am lai peth na phrynu menyn ar y slei. Does gynnoch chi ddim meddwl mawr o'ch swydd yn nagoes?

TOMOS : O oes, Inspector. Mae'n rhaid i blisman da fedru nabod pobol yn rhaid? A fy ffordd i i nabod dyn ydi ei drystio fo. Mynd efo fo, Inspector, drwy'r mwd a'r mêl. Ydach chi'n gweld be sy gin i?

INSPECTOR : Ydw. Mwd. Hwn ydi Rhos Bach?

TOMOS : Ia, Robat sy'n sefyll yn nrws y beudy, a Wiliam ydi hwnna sy'n powlio'r ferfa. Golwg iach arnyn nhw. Drapia las, mi liciwn i gael ffarm bach yn rhwla fforma.

INSPECTOR : Tra bydda i'n cael sgwrs efo'r ddau ffarmwr yna, ma gin i isio ichi chwilio'r beudai yn fanwl.

TOMOS : A hwyrach byddai'n well imi roi tro rownd y caeau a'r winllan rhag ofn.

INSPECTOR : Ia, ond cadwch eich llygad yn agored—olion teiars, number plate wedi ei luchio i'r gwrych, neu rywbeth.

TOMOS : Os oes yna rwbath i'w weld rydw i'n siwr ohono fo ichi. (SAIB)

INSPECTOR : Sut rydach chi'ch dau. Rydach chi wrthi hi'n o fore.

ROBAT : Rhaid bod yn fachog yn y boreua ar ffarm ychi.

TOMOS : Car Huws, gweinidog Pengwalia, sy ar goll. Dyna pam daethom ni yma hogia. Wrth bod 'na gysylltiad teuluol, ynte.

INSPECTOR : Cerwch i gael golwg hyd y fan yma Tomos. Rydan ni'n chwilio pob twll a chongol yn yr ardal yma, Robat Wiliams.

ROBAT : Ia wir, chware teg ichi.

INSPECTOR : Rydw i'n dallt fod Mr. Huws wedi priodi chwaer ichi.

ROBAT : Ydi—Ann, yr hyna' ohono ni, a'r unig chwaer.

32

INSPECTOR : Ydi pethau'n o lew rhyngddoch chi a Huws a'i wraig?

ROBAT : Wel ydyn a nagdyn.

INSPECTOR : Fyddan nhw'n dwad i edrych amdanoch chi'n amal?

ROBAT : Dair wsnos ar ôl cnebrwng Ifan mrawd y buon nhw yma ddwaetha—fo oedd yn cymryd y gwasanaeth yn y tŷ, a welsoch chi rioed cyn handiad buo fo wrthi. Roedd o ar dân wedyn yn y fynwant—bron nad oedd o'n rhedag adra.

INSPECTOR : Fyddwch chi'n mynd yno weithiau—chi neu eich brawd ?

ROBAT : Camp ichi gael Wiliam i symud oddiyma i un man. Dwywaith mae ei siwt ora wedi bod amdano fo ers deng mlynedd. Mae hi yn ei phlyg yn ei goffor o ac yn ei phlyg y bydd hi os na ddigwydda i fynd o'i flaen o.

INSPECTOR : Chi fydd yn negeseua?

ROBAT : Ia, bob wsnos fel cloc. Bob bora Gwener mi fydda i'n bachu'r hen gar yma wrth y gaseg—toes yma ddim tractor. Mi fydda i'n gadael y car ar yr allt o flaen tŷ fy chwaer wedyn cerdded cyn belled â'r Pioneer—efo Davies rydan ni'n delio ers blynyddoedd—talu pen y mis. Ar y ffordd yn ôl mi fydda i'n galw yn nhŷ Ann. Tydw i ddim wedi colli fawr fore Gwener ers dwy flynedd dwi'n siwr.

INSPECTOR : Ond roedd Mr. Huws yn deud na welodd o monoch chi yno ar ôl claddu'ch brawd.

ROBAT : Mae o'n deud y gwir. Welodd o mohona i yn y tŷ ers blwyddyn, Inspector.

INSPECTOR : Bedach chi'n feddwl, Robat Wiliams?

ROBAT : Dowch rownd i'r talcan—mae na haul yn y fanno Mae yna fainc i eistedd hefyd. Mi ddaw Wiliam os liciwch chi, cofiwch. Mae o'n swil iawn—go brin caech chi air gynno fo.

INSPECTOR : Hitiwch befo rwan—go brin poena i mono fo.

ROBAT : Mi dria i dorri stori hir iawn cyn fyrred â medra i ichi. Roedd fy nhad yn gefnog iawn. Mi aeth Huws y Gweinidog yn ffrindia efo Ann . . .

33

INSPECTOR : Ac mi aeth eich chwaer efo Huws i fyw i Myfyrfan—y tŷ mae nhw ynddo fo rwan.

ROBAT : Do, dyna ddechrau'r helynt, mi ddaeth yna betha diarth iawn i'r Rhos Bach y twniad hwnnw. Trefniant, chware teg, cyfiawnder, siâr—petha plant, Inspector. Tae waeth, y noson cyn y briodas dyma nhad yn deud y basa fo yn trafod petha efo ni. Roedd ganddo fo bum mil yn y banc. Mi roth ddwy fil i Ann y noson honno. Roedd y tair mil a'r ffarm 'a'r holl stoc i Ifan, Wiliam a finna i wneud fel fynnem ni y munud digwyddai rhywbeth iddo fo. Mi fedar Cadwalad y twrna brofi ichi mod i'n deud y gwir. Fo fyddai'n gwneud popeth i nhad. Fuo nhad byw fawr ar ôl priodas Ann ac wedyn mi fu farw Ifan.

INSPECTOR : Oedd eich chwaer yn fodlon ar y trefniant yma?

ROBAT : Oedd. Roeddan ni i gyd yn fodlon. Roedd Ann a Huws yn galw'n amal—ddwywaith yr wythnos gynta priodson nhw. Mi roi Ann rownd o llnau ar y tŷ yma ac mi ddoi Huws i eista ar y fainc yma os byddai'n braf—syllu i'r wybren acw medda fo. Mi fum i'n craffu arno fo o'r ffolt yma lawer gwaith, a gofyn i mi fy hun be oedd yn mynd trwy'i feddwl o.

INSPECTOR : Pryd ddaru nhw stopio galw yma?

ROBAT : Roeddan nhw'n galw yn bur amal nes bu Ifan farw flwyddyn yn ôl.

INSPECTOR : Welsoch chi mohonyn nhw wedyn?

ROBAT : Do mi fuon yma deirgwaith. Mi fydda i yn dal i fynd yno, cofiwch.

INSPECTOR : Me wnaeth iddyn nhw beidio â galw yma'n sydyn—wyddoch chi?

ROBAT : Gwn o'r gora. Gyda bu farw Ifan dyma'n nhw'n gofyn imi am fenthyg pymtheg cant.

INSPECTOR : Pymtheg cant, a nhwtha newydd gael dwy fil?

ROBAT : Y tŷ yna. Myfyrfan oedd yn mynd ar werth am dair mil a hanner. Mi wyddoch mor ddrud ydi tai yn y dre acw. Roedd hi'n dipyn o slap i Wiliam a minna. Roeddan ni'n dau, ac Ann hefyd cyn iddi briodi beth bynnag yn meddwl fod pia Huws y tŷ.

34

INSPECTOR : Ddaruch chi ddim rhoi pymtheg cant iddyn nhw debyg?

ROBAT : Do wir, mi ddarun. Roedd gan Huws siec yn ei boced yn digwydd bod. Fo ei hun sgwennodd hi a Wiliam a finna'n ei seinio hi.

INSPECTOR : Ond mi gewch yr arian yn ôl debyg?

ROBAT : Dwn i ddim, does gynnon ni ddim i ddangos mai benthyciad oedd y pymtheg cant, a wir toeddan ni ddim yn malio llawer am yr hen arian ar y dechra nes digwyddais i ffeindio fod Huws yn rhoi ym mhen Ann fod ganddi hawl i fil o bunnau—siar Ifan, fel y chwaer hynaf.

INSPECTOR : Ond sut na fuasech chi wedi gwneud petha'n drefnus trwy dwrna?

ROBAT : Ddarum ni ddim meddwl am funud fod angen twrna. Chwaer i ni ydi Ann, a gweinidog a gair da iawn iddo fo ydi ei gwr hi.

INSPECTOR : Mi fyddwch yn eu hatgoffa nhw am yr arian bob tro byddwch chi'n galw yno?

ROBAT : Fydda i ddim yn son cymaint â chymaint am y pymtheg cant ond mi fydda i'n crefu fel plentyn am y car bob tro yr a i yno.

INSPECTOR : Ond mi ron i'n dallt mai Huws oedd wedi cael y car ar ôl eich tad.

ROBAT : Oeddach mae'n debyg. Yn fuan iawn wedi claddu nhad mi dorrodd car Huws. Dwad adra o'i gyhoeddiad nos Sul roedd o ac mi ddaeth y 'big end,' beth bynnag ydi hwnnw, allan drwy ochor yn injan. Hen regsyn o gar oedd ar ei ora, tebyg iawn i'n car ni. Mi tynnwyd o nos trannoeth i dŷ'r Idwal 'na, ac allan yn y ddrycin y tu cefn i'r tŷ buo fo nes aeth ei ben o'n gaws llyffant. Mae o newydd gael ei werthu i'r petha Bangor 'na sy'n hel hen haearn. Wedyn dyma Ann a fonta yma i grefu am fenthyg hwn am wsnos neu ddwy.

Yno mae o byth, a char da ydi o. Roedd gin Wiliam fwy o afael ynddo na fi. Roedd o'n medru ei ddreifio fo o'r tŷ i giat y lôn ac yn ôl. Fedar o ddim cynnig hwn.

INSPECTOR : Ond be fyddai ateb Huws ichi pan fyddech chi'n gofyn am eich car yn ôl?

ROBAT : Tydw i ddim wedi ei weld o ers dros hanner blwyddyn. Ar y stryd bob tro mae o'n sleifio fel sliwan i dwr o bobol. Bythefnos yn ôl mi es ar ei ôl o i'r lle dynion ar y sgwar, ond ron i fymryn bach rhy hwyr. Roedd o wedi troi'r dwrn o'r tu fewn. Mi fuom i'n trio sgwrsio am y drws ag o am ddeng munud. Mi besychodd unwaith a dyna'r cwbwl. Bob tro yr hola i Ann am y car—"busnas rhyngoch chi a Huws ydi o" medda hi. Gwaeth na rhoi'r car iddo fo mi rois y llyfr hefyd, iddo fo gael leisans, 'laswn i. Rwan mae ei enw fo ar hwnnw. Ond mi fedar y twrna brofi nad y fo pia fo medda fo, ond tydio ddim mor siwr fedar o ei orfodi o i ildio'r llyfr.

INSPECTOR : Ydi'r twrna wedi anfon llythyr iddo fo?

ROBAT : Na, rydw i wedi ei beru o beidio. Dim isio styrbio Ann.

INSPECTOR : Pryd buoch chi'n gweld eich chwaer ddwytha?

ROBAT : Ddydd Gwener.

INSPECTOR : Wel dwn i ddim oes yma achos o ladrad ai peidio . . . rhoswch, dyma Tomos yn dwad . . . ond rhaid cael hyd i'r car. Dim gair wrth enaid byw cofiwch rhag ofn i Huws glywed.

TOMOS : Dim un dim i weld, Inspector. Mi chwiliais y caea i gyd. Roedd y ddau dderyn druan yma'n sownd yn y **weiran ar** derfyn y winllan, ac roedd yn well gin i difa nhw na'u gweld nhw'n diodda. *(SAIB)*

(SWN LLUCHIO CERRIG AT FFENESTR)

TOMOS : Robat! Wiliam! Codwch Robat.

ROBAT : Pwy sy na?

ROBAT : Be ar y ddaear?

TOMOS : Dowch i lawr gynta medrwch chi. Mae'n bwysig ichi beidio colli gormod o amser.

ROBAT : Eich hunan ydach chi?

TOMOS : Ia'n duwc, ia. Faswn i'n meddwl wir. Mi ddioddis nes bydda pawb yn y pentra acw yn ei wely. Mi fasa'n ddigon imi am fy mhensiwn tasan ni'n cael ein dal heno 'ma.

ROBAT : Ni?

TOMOS : Ia, chi a fi. Ble mae Wiliam?

ROBAT : Mae o'n cysgu'n sownd. Oes isio imi ddeffro fo?

TOMOS : Fel fynnoch chi. Na, waeth ichi adael iddo am wn i. Ylwch Robat, gwrandwch yn astud arna i am funud bach.

ROBAT : Ga i wneud paned ichi?

TOMOS : Na, mi wna i'n iawn . . .

ROBAT : Glasiad o gwrw 'ta. Mae'r hen gasgen yn y deri o hyd.

TOMOS : O reit, mi gymra i lasiad efo chi. Mi glywsoch yr Inspector yn fy mheru i fynd rownd y caea yma bore heddiw yn do?

ROBAT : Do.

TOMOS : Mi es inna, ac mi alwis yn y Beudy Ucha. Meddwl cael y gwn ron i, a mynd i'r winllan am dderyn. Mi welis y car, Robat. Wyddwn i ddim prun ta chwerthin ta chrio ddylwn i. MXS 411. Dyna fo ichi. Car Huws y Gweinidog. Tydw i ddim wedi weld o medda fi wrtha fy hun drosodd a throsodd. Ac erbyn imi gyrraedd yn ôl atoch chi a'r Inspector, roeddwn i wedi perswadio fy hun fod hynny'n wir. Mi coeliodd yr Inspector fi : mae o'n dal i goelio.

ROBAT : Roedd gin i reswm da dros gymryd y car . . .

TOMOS : Rydw i yn eich coelio chi, ond os daw rhywun ar draws y car yna yn y Beudy Ucha, lleidar fyddwch chi yng ngolwg y fainc, Robat, a'r gosb, rhwbath o ddwy i dair blynadd o garchar. Tydw i ddim am i chi gael mynd i garchar. Mae gin i blan i gael gwared o'r car . . . ffansi ceisio powdwr du a'i roi o yn y tanc petrol.

ROBAT : Na, tydach chi ddim i'w ddifa fo.

TOMOS : Meddwl wedyn na fasa tri ohonom ni ddim yn hir yn ei gladdu o.

ROBAT : Twt, peidiwch â chyboli.

TOMOS : Ond heno, yn hwyr heno y gwelis i hi. Rydw i am ichi ddreifio fo i Bant y Bwgan.

ROBAT : Na, na. Wna i ddim. Yma mae lle'r car.

TOMOS : Ddois i ddim yma i ddadla Robat. Plan i'ch arbed chi sy gin i. Mi fasa wedi bod yn llawer llai o drafferth imi ddeud wrth yr Inspector fod y car yn y Beudy

Ucha. Na, rydach chi am i ddreifio fo heno i Bant y Bwgan.

ROBAT : Sgin i ddim syniad lle mae Pant y Bwgan.

TOMOS. Mae o o fewn tafliad carreg i'r llain lle rydw i yn cadw ieir. Mae o o'r neilltu ac eto yng nghanol y pentra acw. Mi fydda i hefo chi i ddangos y ffordd ichi.

ROBAT : Na wir, fedra i ddim. Peth arall, os awn i ag o, mi fydd rhyw greadur diniwed yn cael i feio ar gam. Mi wyr pawb na fydd y car ddim wedi rhedeg yno ohono i hun.

TOMOS : Gadewch chi hynny i mi. Mi ofala i na fydd neb yn cael i gosbi ar gam. Rhowch got amdanoch. Mi awn ni i'r Beudy Ucha. Mae gin i dortsh reit dda.

ROBAT : Taswn i'n deud wrthoch chi na chafodd Huws mono fo trwy ffordd onest iawn . . .

TOMOS : Tydw i'n ama dim, ond y peth pwysig rwan ydi cael gwared o'r car o Ros Bach. Eich côt, Robat—gorchymyn plisman.

ROBAT : O'r gora, ond rydw i bron yn siwr na tydw i ddim yn gneud y peth iawn.

TOMOS : Reit handi, ne mi fyddwn yn dwad ar draws Jac yr Odyn a'i filgi. Mae o'n codi wyth ac yn mynd i'w wely dri. *(SAIB)*

(CAR YN CYCHWYN)

ROBAT : Mae'r batri'n mynd yn isal. Rhowch chi dro yn yr handlan. Gwthiwch yn sownd i chael hi i lle.

TOMOS : Trwy'r twll yn y bympar?

ROBAT : Ia, hanner tro cofiwch, mae o'n cicio braidd.

TOMOS : Go drapia las, mi 'llyngodd ei gafael. Rydw i siwr o fod wedi torri mawd yn glir i ffwrdd. Rydw i'n medru twtsiad 'y ngarddwrn efo'i flaen o. Ylwch.

ROBAT : Peidiwch byth â rhoi eich bawd am handlan car. Peth gwiriona newch chi. Dowch chi yma i ddal y choke. Mi ro inna dro.

(CYCHWYN)

TOMOS : Stopiwch am funud imi gael rhwymo 'meic tu ôl.

ROBAT : Rhwmwch chi o 'ta. Fiw imi ddwad allan rhag ofn i'r injan stopio.

Tomos : Fydda i ddim dau chwinciad.

(Y CAR YN MYND)

Rhowch lai o olau, Robat, da chi. Mi dynnwch sylw. Rhoswch, pwyso 'i droed ar ryw dip yn y gwaelodion yma y bydd yr Inspector i gael llai o ola. O, mi clywa i o.

Robat : Aw! Gollyngwch ddyn . . . y mys bach i ydi hwnna . . .

Tomos : Car cyffyrddus, Robat.

Robat : Car clyfar iawn.

Tomos : Mae o'n lletach o sbel na char yr Inspector. Fedra i ddim cynnig mynd i mhoced i nol fy mhowtsh baco yn hwnnw.

Robat : Bedach chi'n gael y tu ôl yna?

Tomos : Gollwng tipyn o bapura fferins rydw i hyd y llawr. Ydach chi'n ei gweld hi?

Robat : Nag ydw i.

Tomos : Tydi o'n ddim ichi weld dau'n dri o geir ym Mhant y Bwgan ar nos Sadwrn. Cyplau ifanc yn caru, Robat . . . Trowch i'r dde yn fanma rwan. Mi fedrwn osgoi'r pentra.

Robat : Mae hi'n gul yma. Mi fyddai'n o dynn ar ddau gar basio'i gilydd ar hon.

Tomos : Welwn ni neb heno.

(Y CAR YN POERI)

Ydi o am nogio, Robat?

Robat : Na, go brin. Hir yn twmo maen nhw. A mae un o blygia hwn yn methu, siwr gin i.

Tomos : Ydi hwnnw'n beth perig deudwch? Deith o ddim ar dân debyg?

(CAR YN DECHRAU NOGIO)

Robat : Na, dim ond deud rom bach ar i dynnu o.

Tomos : Mae 'na blygia ar y ceir newydd yma run fath â'r hen rai?

Robat : O oes, siwr gin i.

Tomos : Clywed car yr Inspector yn tynnu'n dda bydda i.

Robat : Wyddoch chi be . . . mae o am stopio. Fedra i ddim cynnig cadw'r injan i fynd . . . Dyna fo, wedi stopio.

Tomos : Drapia las. Fedrwch chi wneud rhwbath? Drugaredd bod fy nhortsh gin i.

Robat : Mae o cyn syched â'r garthan.

Tomos : Dim petrol?

Robat : Ia, mi ddylwn fod wedi morol am roi peth cyn cychwyn.

Tomos : Roedd Huws yn dweud mai galwyn fydd o'n ei roi ar y tro . . . Beth am i wthio fo ar hyd y gwastad 'ma. Mi ai i lawr yn ei bwysa ar ei ben i Bant y Bwgan. Dowch, mi triwn ni o . . . Ewc! mae o wedi glynyd . . .

Robat : Rhoswch imi dynnu'r brec. Dyna fo rwan.

Tomos : Mae o wedi sgafnu'r hanner. Byddwch yn barod i neidio rhag ofn iddo fo'n rhedag ni . . . Mi welis amsar pan faswn i'n gwthio un dair milltir ar i fyny. Peidiwch â mentro gormod, Robat, Neidiwch i mewn ne mae o'n siwr o'n gneud ni.

Robat : Mae o'n symud ohono'i hun . . . Dowch, mi ellwch chitha fentro neidio i mewn, Tomos. Dowch . . . mae o'n dechra codi sbîd.

Tomos : Tendiwch rhag ofn imi gael 'y ngwasgu . . . Duwc, go dda. Dim ond rownd y tro yma ac mi welwch y Pant. Coblyn o allt ydi hon, Robat.

Robat : Meddyliwch for arna i isio dwad i fyny peth run fath eto heno.

Tomos : 'Caech chi i phen hi welsoch chi rioed mor handi reith yr hen feic adra. Cofiwch fod y three-speed yn groes i Sturmey-Archer. Tynnu atoch i gael gêr fawr. Gewch chi weld i fod o'n medru symud . . . Dyma ni. Daliwch gymaint â fedrwch chi i'r lle glas 'ma. Dyna fo i'r dim. Iawn yn fanna.

Robat : Faint o'r gloch ydi hi tybad?

Tomos : Tua hanner awr wedi dau faswn i'n i gesio hi. Rhoswch, mae na un cwlwm eto. Drapia, cwlwm gwlwm. Mi fydd yn rhaid imi dorri o . . . Dyna chi, mi fyddwch adra ar slap wedi cael top yr allt. Mae na ola iawn ar y lamp flaen. Na, toes yna ddim lamp goch arno fo. Hitiwch befo, welwch chi neb heno.

Robat : Mi a'i. Dwn i ddim be wnai Wiliam tasa fo'n digwydd deffro a ngweld i wedi mynd.

Tomos : Dyna chi. Nos dawch. Tasa rhywun yn holi, cofiwch na tydach chi ddim wedi bod o'ch gwely heno. *(SAIB)*

Helo Exchange. Tomos plisman sy ma. Ydyn nhw wedi cyrraedd i'r offis bellach? Neb? Ron i'n ama i bod hi'n o fora iddyn nhw. Triwch gael yr Inspector imi ta. Ia. Go brin ei fod o wedi cychwyn . . . Na, hitiwch befo, mae'r Inspector ar gyrraedd yma rwan . . . mi wela i gar o drwy'r ffenast. Diolch fawr.

Inspector : Peidiwch â chodi'ch gobeithion, Tomos, does yna ddim newydd. Galw wnes i i ddeud petaech chi'n dwad o hyd i'r car yna, am ichi beidio ar unrhyw gyfri â mynd â fo yn ei ôl i Huws y Gweinidog. Rhowch wybod i mi, ac mi ddown i'w nol o. Mae digon o le i'w roi o dan do yn sied y Patrol.

Tomos : Ond mae yna newydd, Inspector. Mae'r car wedi dwad i'r fei.

Inspector : Ble mae o?

Tomos : Ym Mhant y Bwgan.

Inspector : Yng nghanol y pentra ma? Ron i'n cymryd eich bod chi wedi chwilio'r pentra 'ma nos Sul.

Tomos : Roeddwn i wedi chwilio, ond pwy fyth fasa'n meddwl am Bant y Bwgan. Bwydo'r ieir ron i'r bore ma. Ma gin i hanner dwsin o gwennod, petha ifanc gwyllt. Mi hedodd un ohonyn nhw dros y clawdd. Wrth chwilio am honno y dois i o hyd i'r car.

Inspector : Dowch, mi awn ni yno i gael golwg. *(SAIB)* *(SWN Y WLAD YN Y BORE—IEIR ETC.)* Ia dyma fo. Hwn ydi o. I feddwl gymaint ydan ni wedi grwydro Tomos, a chael hyd iddo fo o fewn tafliad carreg i'r capel yn y diwedd.

Tomos : Ia, felna gwelwch chi hi'n amal.

Inspector : Peth od fod o â'i drwyn at y pentra, ynte? Pwy bynnag dreifiodd o yma, mi aeth o'i ffordd gryn dipyn. Mi aeth ar hyd y ffordd bost i gyfeiriad Tregwalia a throi i lawr Allt y Ffatri i ddwad i Bant y Bwgan. I be meddwch chi?

Tomos : Na wir, mi allsa dreifar go lew droi car yn ei ôl yn fanma yn hwylus iawn. Mae hi'n llydan iawn yn is i lawr yn fanma sylwch.

41

INSPECTOR : Ydi, ond pam trafferthu i'w droi o gwbl?

TOMOS : Os rhyw gwpwl ifanc yn caru oeddan nhw. Mi droeson y car yn ei ôl er mwyn i'r sawl ddoi o hyd iddo fo feddwl mai o Dregwalia y doth o yma.

INSPECTOR : Sut rydach chi mor siwr mai dau gariad fu wrth y gwaith?

TOMOS : O, mae Pant y Bwgan yma'n enwog fel cilfach cariadon, a pheth arall—drychwch yn y tu ôl yna.

INSPECTOR : Ia wir, mae'r llawr yn bapura taffis i gyd. Rydach chi'n gwella fel ditectif, Tomos. Helo, mae'ch pib chi yma ddyliwn i.

TOMOS : A fanma collis i hi bora? Wrth blygu i edrach oedd yna rwbath dan y sêt yn siwr i chi. Rydw i wedi chwilio iard yr ieir bob modfedd. Ron i'n berffaith siwr i bod hi gin i yn cychwyn o'r tŷ.

INSPECTOR : Go brin cawn ni wybod byth pwy ydi'r ddau fuo'n mwynhau'r wledd yma mae'n siwr.

TOMOS : Gadwch chi bythnefnos ne dair wsnos i mi, a mi fydda i'n siwr ohonyn nhw ichi. Mi a i heibio Ifan y Teiliwr. Dyna hobi Ifan, dwad i Bant y Bwgan i dendio cyplau'n caru.

INSPECTOR : Ia, gora oll os cewch chi wybod, ond tydi hynny ddim yn bwysig iawn ar hyn o bryd. Peth od iawn na fasan nhw wedi cymryd car Robaits Pen y Garn. Hwnnw oedd y nesa i law iddyn nhw.

TOMOS : Fasach chi'n licio mynd â merch ifanc allan ar nos Sul yng nghar Robaits? Mi glywsoch Mrs. Robaits yn deud ffasiwn olwg sy arno fo. Mae o fel cwt cwningan, a fawr ffenast yn gyfa yno fo. Camp ichi gadw'n gynnas yn hwnnw.

INSPECTOR : Roedd merched ifanc fy amser i yn wahanol iawn i rhein, choelia i byth.

TOMOS : F'amsar inna hefyd Inspector. Cofio pan o'n i'n twsu Meri. Gwaith awr a hanner o reidio beic bach, a chwta hanner awr fyddwn i'n gael hefo hi. Fydda dim gwell rhoi gwbod i'r parchedig fod ei gar o wedi dwad i'r fei?

INSPECTOR : Ei gar *o* ddeudsoch chi?

TOMOS : Ia.

INSPECTOR : Phia fo mono fo Tomos. Hen lancia Rhos Bach
   pia fo.
TOMOS : Grym mawr! a finna wedi meddwl rioed fod pob
   gweinidog yn onast fel Beibil.
INSPECTOR : Rydw i wedi trefnu i Cadwaladr y twrna
   ddwad i weld Huws y pnawn 'ma. A bellad â'ch bod
   chi wedi cael hyd i'r car, mi alwa i am Robat Wiliams
   hefyd, ac mi geith yntau fynd adra yn hwn . . . yn ei
   gar ei hun.
TOMOS : Wel, wel, tawn i'n marw.
INSPECTOR : Un peth arall, Tomos : peidiwch â byta
   gormod o fferis. Tydyn nhw'n help yn y byd i'ch
   presiar chi.

   (CEILIOG YN CANU)

Y DYN SWLLT

Drama radio

Cymeriadau:

CRYSMAS HUWS
MORWYN
HARRI TY TOP
MERI WILIAS
DIC PRINCE
JANE HUWS
NED LLONGWR
ELIN JOS
MERI LISI
ROBIN DAFYDD
JOHN HUWS
MARI HUWS
PLANT

CRYSMAS HUWS: *(yn nesau)*: Ugain munud arall na
fyddwn ni yn y pentra. Dal i gredu 'rhen feic, 'r wyt
ti'n cofio dy ffordd bellach. Sut byddwn ni'n sgwrsio
bob Llun cynta'r mis?
   Ffri wilio gwastad Caera
   A rhuthro drwy Bantglas.
   Arafu wrth basio'r Dafarn Faig
   A chyfri'r hyrddod ar y graig
   Union rwan i'r pwll gro
   Mae stesion Bryncir rownd y tro.
Ia 'rhen feic 'r wyt ti'n iawn. Glandwyfach ydi hwn.
Na fiw i mi alw yma heddiw er cystal fyddai glasiad.
Toes gin i'r un geiniog goch ar fy helw, a toes dim
rhagor o le ar y llechan. A gwrando, rhyngot ti a fi a'r
hen gloddia 'ma, phia mi 'mo nhrons. Hi hi, Hi hi.
Pwy bia fo ddwedaist ti?
   Y gwir yn erbyn y byd
   Y mhen i yn erbyn y wal.
Dyma i ti pwy pia fo—"Y Mri Bears Betterwear,

45

Llundain W.C.1."

Hitia befo mi ddaw haul ar fryn eto cawsan ni weld pen allt Penarllygaid. Mi gerddwn ni hon 'dw i'n meddwl, 'dwyt ti mwy na finnau'n mynd fawr 'fengach *(SWN CERDDED GYDA'R BEIC)* Dyma iti giat Ynys Dyfnallt. Licio'r enw? Na tydw i ddim yn meddwl mod i. Tydi o ddim pats o enw i "Gefnrhengwd" a "Chors-y-wlad." Dyma iti Caer Armi, mae gin i awydd galw yn fan'ma *(RHOI EI FEIC AR Y CLAWDD)* Mi gei di orffwys bach rwan. Mi af inna i edrach am William Owen. Mae arno fo dri thro i mi rwan. Tri swllt.

(SWN CERDDED A CHURO DRWS)

Felna mae 'i dallt hi aie, smalio na 'toes 'ma neb adra.

(SWN CURO DRWS YN FFYRNIG)
(SWN BUARTH)

Cwyd William gael iti gael gweld arch Noa sy'n yr iard 'ma.

(SWN FFENAST LLOFFT YN AGOR)

MORWYN : *(yn gweiddi)* Mae mistras yn gofyn fasa rwbath gynnoch chi beidio cadw cymaint o dwrw. Mae mistar yn wael iawn heddiw.

CRYSMAS : Yn llofft rydach chi i gyd yn byw yma ar ddydd Llun?

MORWYN : A mae mistras yn deud y talith mistar i chi os bydd o wedi mendio'n ddigon da i fynd i'r banc ddydd Gwener.

CRYSMAS : Tri swllt sydd arno fo i mi, nid tair mil, a hwyrach na fydd o ddim wedi mendio erbyn dydd Gwener.

MORWYN : Mi geith fynd i'r banc ddydd Sadwrn.

CRYSMAS : Pera'r diawl fynd yno erbyn un rhag ofn ei fod o wedi anghofio eu bod nhw'n cau ddeuddeg 'r un fath â'r wnsnos dwaetha.

MORWYN : Cau dy geg.

CRYSMAS : Be ddeudaist ti?

(SWN TAFLU CARREG DRWY FFENEST)

Gobeithio ei bod hi wedi disgyn ar dalcen dy fistar.

MORWYN :   "Dyn Swllt,
              Dyn socs
              Crysmas Huws
              Crysmas Bocs"

  (SWN CERDDED)

CRYSMAS : *(Siarad ag ef ei hun)* : Wn i ddim bestad i'r oes
yma. Y gwartheg yn yr iard ganol dydd, y ci yn y
gegin, y mistar yn ei wely hefo'r forwyn, ia hogan o
forwyn yn deud wrtha i am gau ngheg. *Fi*—Crysmas
Huws V.C. Trafaeliwr parchus yng ngwasanaeth y
Mri Bears Betterwear, London W.C.1.
Gwrando 'rhen feic. Tydi o ddim gormod i mi ddeud
ma fi enillodd y Rhyfel Mawr cynta'—weli di'r fedal
'ma—tydi dyn ddim yn cael y V.C. am hel wyau
cornchwiglod, coelia di fi. Brenin Lloegr yn deud
wrtha i "Crys" medda fo "Mae hi'n hen bryd i ti fy
ngalw i wrth fy enw cynta'." Llawer i gêm o Ludo
chwaraeais i hefo fo, a mi curwn i o bob gafael. Ond
dyna fo—newid ddaeth o rod i rod, chadal Edmwnd
Prys *(SWN REIDIO BEIC)* Tyrd 'rhen feic mi gawn
ni ffriwilio'n go hir rwan. Wê, tra bydda i'n picio i'r cwt
teliffonio 'ma, mi gês i dair ceiniog yma'r tro dwaetha.

  (SWN AGOR CIOSC, CURO'R BOCS PRES)

Dim un geiniog, Botwm B—mi bwysa i hwn.

  (SWN CENIOGAU YN DISGYN)

Daliwch ati hi 'rhen gochion—un, dwy, tair—chwech
saith, wyth geiniog.

  (SWN CODI TELIFFON)

(LLAIS MAIN) : Hylo, Cricieth sy' na? Ia. Hogan
Musus Tomos ydach chi? O da iawn. Gwrandwch
ngenath i, Huws bach—Y Parch Huw Huws, eich
gweinidog chi sy' ma. Mae arna i isio i chi gael Caer
Armi i mi. Tydw i ddim yn siwr o'r nymbar, a rhowch
o i lawr yn fy nghownt i wnewch chi? Toes gin i
ddim arian mân hefo mi. Deudwch wrth eich mam y
galwa i acw cyfle gynta' ga' i. O, rhoswch mae'r
Gymdeithas yn cyfarfod nos Wener. Mae Edna May
yn gwneud papur ar Harri Huws Bryncir; Gwyneth
Tai Ffatri ar Robert Jones Rhoslan a chitha ar Owen

47

Gruffydd, Bardd yr Uchelwyr. Ydi o gynnoch chi? Naci, naci 'mach i yr Owen Gruffydd arall. O diolch yn fawr. Caer Armi? Mr. Huws y gweinidog sy 'ma, ga'i air hefo Mr. William Owen os gwelwch yn dda? Y forwyn sy 'na? Ydi pawb ar i fyny yna? O! da iawn. William Owen yn y gors bella wrth yr afon—rhedwch i'w nol o i mi a pherwch o frysio, mi fydda i'n dal y lein.

(RHOI'R TELIFFON YN OL, SWN CERDDED)

Mi rydd hynna wers i'r hogan forwyn 'na. Rwan 'rhen Swift be ddyliet ti tasa ni'n ei hunioni hi am Gae Llwyd rwan. Mae ar yr hen deulu domen o sylltau i mi bellach.

Dyma ni, aros di mi sleifiwn ni i fyny'r lôn groes, os gwelan *nhw* ni fydd dim dichon cael yr un gopa ohonyn' nhw i'r drws.

(LLEISIAU PLANT YN CHWARAE)

"Pwy ddaw, pwy ddaw o dan y bont a'r Seini?

Myfi, myfi a'm holl gwmpeini."

Aros di'n fanna 'rhen feic, mi fyddi reit ddiogel dan y dderwen fawr, mi a inna i hel tipyn o'm sylltau, a mi gawn damaid o ginio mewn heddwch wedyn siawns. Sleifio rownd y gongl i nymbar 10 fydd orau i mi.

PLANT : *(yn gweiddi)* "Dyn swllt,
Dyn socs
Crysmas Huws,
Crysmas Bocs"

(SWN PLANT YN RHEDEG I FWRDD)
(SWN CURO AR DDRWS)

CRYSMAS : Damia, dyna fi wedi methu eto. Cinio i ddechra a hel wedyn.

(SWN CERDDED)

Gwyn eich byd pan y'ch gwaradwyddant. Tybad hefyd? Be' sy' ar y menu heddiw? Be' sy' gin ti dan dy hatsus Elin Huws? Caws, ia. Ych jam baw defaid bach. Bestad i'r ddynas, mi fydd raid i mi roi pregeth eto iddi ar ôl mynd adra—mi ŵyr o'r gora na dda gin i ddim brechdan jam yn enwedig jam cyrants duon. Aha, ron i'n ama mod i'n clywed ogla ci. Rex, chdi sy'

48

'na? Pryd cest ti fath ddwaetha Rex bach? Ysgwyd dy ben wyt ti—chest di 'r un rioed debyg. Hwda, dyma iti fath poeth o'r thermos fflasg. *(SWN CI YN CYFARTH)* Dwad wrth dy fistar y caiff ynta un hefyd os na dalith o'i swllt i mi heddiw. Faint o'r gloch ydi hi bellach? Hold on; pan mae'r bys mawr ar dri a'r bys bach ar naw mae hi'n ugain munud i saith. Pan mae'r bys bach ar ddeg a'r bys mawr ar bump mae hi'n chwarter i dri, os nag ydw i'n methu'n arw pan mae'r ddau fys ar gefna'i gilydd mae hi sbel wedi deuddeg—mi arhosa i am bum munud arall dwi'n meddwl. O! ia mi awn ni ymlaen â'r drafodaeth o'r lle gadawsom ni hi dan Bont Grachod ddoe Mr. Bear. Pedwar llythyr gan y Mri Bears Betterwear. Dyma nhw'r funud 'ma. Y cynta'n gogoneddu f'enw i ac yn addo ceiniog y swllt ar bob dilledyn wertha i. Yr ail yn fy annog i werthu mwy, a chanolbwyntio ar y tronsia hirion. Y trydydd yn fy llongyfarch ac yn crefu am y sylltau, a'r olaf yn fy rhegi ac yn gorchymyn i mi anfon y dillad yn ôl i Mr. P. Bear; Mr. Percy nid Mr. Polar fel oedd ar y siec am ddau swllt. Ia, fel ro'n i'n deud ddoe mai tlodi sy'n gyfrifol am bopeth ond syched.

A syched sy'n gyfrifol am dlodi, meddai Mr. Bear.

Tafodiaith Parc Ffinics. Rhuwch Mr. Bear, rowliwch yn y pridd coch o dan y dderwen fawr. Arhoswch ar wastad eich cefn a'ch coesau yn yr awyr. Galwch ar Dduw eich byw am sylltau gloywon, tlysion, gwynion, crynion.

Bihafiwch Mr. Bear. Nid y Polar oedd y drwg. Toes gin i ddim llawn ddeuswllt yn y District Bank. Nid arna' i mae'r bai nad oes 'na ddim District Bank yn y pen yma—os nad oes 'na un yn y 'Berch. Hylo, bys mawr ar ddau o'r gloch, mae hi felly'n hanner awr wedi deuddeg. Mae hi'n hwyr glas i mi ddechra hel. Mi alwa i hebio i Harri Ty Top i ddechrau.

(SWN CURO DRWS)

HARRI : *(o bell)* : Dowch i mewn. Dowch i mewn.

CRYSMAS : Fedra' i ddim cynnig agor. Mae'r hen ddrws 'ma wedi chwyddo.

HARRI : Pwysa di ddigon hegar ar y gliciad; mae o yn siwr o agor iti.

CRYSMAS : Aw! Aw! Aw! Pitar, Pedrog, Penri. Fedra i ddim cynnig gollwng. 'Rydw'i yn marw. Y beic i Ben; y dresal i Elin, tatws hadyd i Wmffra, a'r ffurat i Ned!

HARRI : Hi! Hi! Hi! Dyna i ti werth swllt o gricmala.

(SWN CICIO'R DRWS)

CRYSMAS : Mi gei di dal am hyn, o cei.

HARRI : Ydi'n rhaid i ti andwyo'r llwyn hen ŵr 'ma?

CRYSMAS : Nymbar 9. Tydi rhain ddim yn dalwrs chwaith. Bedi hwn? Pisin deuswllt mewn potal lefrith wag am hanner awr wedi hanner dydd. Cipio hwn gynta' medra' i ydi'r gora' i mi dwi'n meddwl.

(SWN PRES)

Nymbar 8. Dyma dipyn o newid. Meri Wilias y wniadrag ydi'r dalrag ora' sy' gen i ar fy llyfr.

(SWN CURO, DRWS YN AGOR)

MERI WILIAS : Dowch i mewn am funud Crysmas Huws gael i mi dalu i chi.

CRYSMAS : Tasa pawb cystal am dalu â chi . . .

MERI WILIAS : 'Steddwch am funud—ma'r cerdyn a'r swllt wrth law yn nror y dresel gin i.

CRYSMAS : O! O! O! Ma gynnoch chi nyth gwenyn yma.

MERI WILIAS : Rhoswch, rhoswch, 'rydach chi wedi ista ar y bincas, Ddylwn i mo'i gadal hi ar y gadar.

CRYSMAS : Dyna ni, swllt, yp tw dêt Meri Wilias. Pnawn da. Nymbar 7. Y petha Prince ma. Yr un hen gân ma'n debyg iawn. Y drws wedi gau, a'r Prinsus i gyd yn swatio fel moch yn y twll dan grisia. Troi tu min pia hi. Bleind y siambar i lawr. Be gebyst?

(SWN CURO DRWS YN CHWYRN.
DRWS YN AGOR)

DIC PRINCE : Porfadigath sy' gynno ni. Taid. *Trombosis.* Amdano' chi'r oedd o'n galw ar i wely angal.

CRYSMAS : Soniodd o rwbath am y syllta?

(SWN DRWS YN CAU YN GLEP)

Cachwrs. Chdi a dy daid.

(SWN CERDDED)

Mi ga'i bres gan Jane Huws y siop os na cha'i groeso.

(SWN CLOCH DRWS SIOP YN CANU)

Hylo! neb ar y cyfyl. Tasa'r hen gath 'na yn symud i rwla o'r clorian, fydda dim gin i gipio'r porc pei 'ma. Shw, shw. O os na felna ma'i dallt hi mi gymra' i brwnsan o'r bocs 'ma.

(SWN CERDDED)

JANE HUWS : Helo.

CRYSMAS : Ga' i werth cath o furum?

JANE HUWS : Faint sy' arna i?

CRYSMAS : *(yn siarad â phrwasan yn ei geg):* Pythefnos.

JANE HUWS : *(yn agor y til)* : Dyma i chi chweigian. Dowch chi â dau swllt i mi.

CRYSMAS : Diolch. Ma arna' i ofn na toes gin i ddim newid. Licia' chi dalu 'mlaen am wyth wythnos.

JANE HUWS : Dau ddrwg dalu sy'. Talu 'mlaen a pheidio talu byth.

CRYSMAS : Dowch chi â chweigian arall i mi Jane Huws, mi ro' inna' ddeunaw swllt i chi. Diolch. Mi fydda' i'n deud bob amsar. Busnas bach gonast pia hi. Cowlad fach a'i gwasgu'n dynn. Pnawn da. Nymbar 5. O Ned Llongwr.

(SWN CURO AC AGOR DRWS)

NED : Ble buost ti'n llusgo. Ma hi'n mynd yn hwyrach arnat ti'n galw bob wsnos. Fuo mi'n deud stori'r dyn du yn Barcelona wrthat ti?

CRYSMAS : Do.

NED : Naddo? Peth od. Llusgo bydda hwnnw. Cofio pan o'n i'n fosyn ar y Poplar Branch. 'Roedda ni i fod i hwylio bnawn Llun. 'Roedd un dyn du ar ôl; Ham Chong y saer. A dyma'r mêt yn rhoi arna i i gael hyd iddo fo; a dwad â fo i'r llong cyn dau o'r gloch. 'D oedd fiw mi ddwad yn f'ôl hebddo fo : fasa'r hen ddyn yn lloerig. Mi gwnes i hi'n syth am y dafarn y bydda ni'n arfar galw ynddi hi. 'R oedd y tafarnwr, un bychan tywyll, ymhen y drws yn smocio—Oedd, yr oedd Ham Chong wedi bod yno ac wedi ymadael ers hanner awr yn reit foldynn. "Yn y siop swfaniars

dowch chi o hyd iddo fo," medda'r tafarnwr. "Mi 'r
oedd o'n sôn am brynu presant i'r wraig." A be' medda'
ti ddigwyddodd wedyn?

CRYSMAS : Mi gawsoch ych gwadd i stafall yng nghefn
y siop.

NED : 'Rwyt ti'n iawn. Wedi i mi holi am Ham Chong,
dyma'r siopwr yn fy ngwthio i o'i flaen i stafall dywyll,
a'r funud nesa' dyma fi'n camu i dwll, a mi ddisgynnis
deirllath i'r selar.

CRYSMAS : I dorri stori hir yn fyr, mi ddwynwyd ych arian
chi bob dima, ac wrth i chi ddengid drwy'r siop dyma
chi'n cipio perlau gwerthfawr oddiar y cowntar, a phan
wel y mynci mul dyn docia New Zealand hwnnw yn
dda i prisio nhw; mi ga inna' nhalu.

NED : Mewn sofrins machgan i. Gollwng, gollwng, gollwng
y nghlust i!

CRYSMAS : Llynadd, leni, rhywdro, nefar.

NED : Mi dy riportia i di i'r Sailors Home, i'r Foreign a'r
British Legion, a mi sgwenna i lythyr i Badan Powal
a Lloyd George, a mi gicia i dy din di o fanma i
Beunos Eurus, y trafeiliwr sacha diawl.

(SWN CURO DRWS. DRWS YN AGOR)

CRYSMAS : Sudachi Elin Jôs?

ELIN JOS : Tyd, ma' gin i panad ar dro. Ista wrth y bwrdd
crwn. Ma' gin i wigsan i ti: tydi hi fawr o beth tro
yma chwaith. Toes na'r un gyransan i chael am aur
yn siop Jane. Llifogydd wedi boddi'r caea' cyrains yn
China medda' hi.

CRYSMAS : Tewch.

ELIN JOS : Methu credu i ordro digon ma' hi. Petha' tynn
oedd 'i thad a'i mam hi.

CRYSMAS : Ma' hi'n o ddiarth i mi.

ELIN JOS : Mi lwgodd 'i gŵr, y cradur. Mae o dipyn gwell
i le hiddiw.

CRYSMAS : Be' wyddoch chi sut le sy'n 'rochor draw?

ELIN JOS : Mi wn i sut le gafodd o 'rochor yma. Te a
brechdan a mwtrin swêj Sul a gwyl. Mi fasa'n llawar
harddach iddi fod wedi rhoi maeth yn 'i stumog o
na charrag biws ar i fedd o.

CRYSMAS : Mi gredodd yn y pen dwaetha?

ELIN JOS : Ofn siarad pobol. Pa bryd ma' Magi Becws yn priodi.

CRYSMAS : Dydd Sadwrn nesa' yn yr eglwys.

ELIN JOS : Ydi hi'n cael hogyn da?

CRYSMAS : Erman oedd o. Mae o wedi cael swydd bwysig yn y pyllau glo.

ELIN JOS : Fydd hynny'n ddyrchafiad.

CRYSMAS : *(yn tagu)* Bydd a na fydd.

ELIN JOS : Bydd?

CRYSMAS : Na fydd.

ELIN JOS : Ydi hi am gael i chydnabod am chwara'r organ?

CRYSMAS : Nag ydi. Priodas sgyrsion ydi hi.

ELIN JOS : O. Ydi Harri Tŷ Top wedi talu i ti?

CRYSMAS : Mi fuo nês iddo fo lladd i, ond mi gafodd y gwrban ora fedrwn i i rhoi iddo fo—Faint sy' arna' i i chi Elin Jôs?

ELIN JOS : Aros di; mae o i lawr gin i ar y llechan yn y siambar. Dau dro. Pedwar swllt.

CRYSMAS : Reit. Dyma ni'n sgwar. 'Rydw i wedi torri f'enw bedair gwaith ar y cerdyn. Mi sleifia' i i nymbar 3 rwan.

> *(SWN GOLCHI LLAWR)*
> *(SWN YSGARMES, BWCED YN POWLIO)*

Golchi llawr sy' ma?

MERI LISI : Gollyngwch fi yr hen gena' powld.

CRYSMAS : Ych! Ych!

MERI LISI : Mi rydd honna wers i chi.

CRYSMAS : Ydi dy dad yn tŷ?

MERI LISI : Tydio ddim ymhell.

CRYSMAS : Oes gin ti dad?

MERI LISI : O oes. Nhad ydi'r dyn prysura yn y pentra ma. Fo ydi gohebydd yr Herald, ysgrifennydd y fynwant a thrysorydd yr Ysgol Sul. Mae o wedi gadael yr arian i mi. Dyma i chi durniad o ddimeua.

CRYSMAS : Fasa well i mi ddwad i mewn i' cyfri nhw?

MERI LISI : 'Ryda chi'n hen ddigon agos ple'r ydach chi. Cyfrwch nhw yn ych het.

> *(SWN GWAGIO PRES I HET)*

CRYSMAS : Wyth a deigian o ddimeuau. Dau swllt. Yp tw dêt. Pnawn da ngenath i.

(SWN CERDDED. CURO DRWS YN FFYRNIG)
Taswn i'n curo hyd ddydd y Farn chlyw Robin Dafydd mohona i. *(GWEIDDI) Robin,* Robin Dafydd wyt ti yma?' 'Rydw i'n dwad i mewn.

ROBIN DAFYDD : Stedda yn fanma wrth f'ochr i ar y setl, ne chlywa i'r un gair ddeudi di. Ddeudis i wrthat ti sut collis i nghlyw?

CRYSMAS : Do droeon.

ROBIN DAFYDD : Un o effeithia'r rhyfel cynta'. Yn Ffrainc ar bnawn tawel yn 1916. Mi syrthis i gysgu ar faril un o'r gynna' mawr. Mi daniodd rhyw ffwl o Sais ar haid o wylanod. 'Rydwi'n clywad y glec y funud 'ma. Mi addawodd un o brif ddoctoriaid clustia Ffrainc y cawn i nghlyw yn ôl pan giliai'r sioc.

CRYSMAS : Mae arnoch chi chweswllt.

ROBIN DAFYDD : Aros i mi gal bachu'r peiriant clywad 'ma yn fy nghlust.

(SWN GWICHIAN NES CODI'R IAR O'I CHLWYD)

CRYSMAS : *(yn gweiddi)* Amser talu.

ROBIN DAFYDD : Naddo, mi rhychis i hi leni am y tro cynta' 'rioed. Toes yma ddim plant yn rhedeg a rasio rwan. Y fenga newydd droi allan. Seimiwr ar y lein. Gwaith â dyfodol o'i flaen o. Mi wn i am hogyn sy'n cael deunaw punt yr wsnos am danio.

CRYSMAS : *(wrtho'i hun)* Ma gynno fo gwpwrdd gwydr llawn yma. Present from Garn, Llanbedrog a'r Sarn, a dwy felin wynt binc. Y plant ddoth â rheina adra' o drip yr Ysgol Sul ma siwr. A present from Llanrwst. Ia Llanrwst. Ia, yn Llanrwst yr enillodd Dafydd Felin a finnau ar y ddeuawd "Lle Treigla'r Caferi." Baswr da oedd Dafydd. *(Crysmas yn canu).*

Ar bob clo-o-gwyn yn India
O ardd Carcasur hyd i draeth Crafancôr.

ROBIN D. : Ydi, mae'n anodd i ti beidio gwylltio ond mi dala'i iti tasa' hynny'r peth dwaetha 'na i.

CRYSMAS : Mi fydd.

ROBIN D. : Ordrwch ddwy wasgod wlanan i Defi John. Rhai hwy na'r cyffredin. Mae o ar i brifiant.

CRYSMAS : Dwy fest 34 i Nymbar 2. Gwell cael ordor gan ddrwg dalwr na methu cael ordor yn byd. Mi a i i edrach am ŵr a gwraig Nymbar 1 rwan. Mae rhyw reswm arnyn nhw. Braf heiddiw deulu. Ista allan ryda chi.

JOHN HUWS : Ia. Un i lawr : llwyth bach ysgafn a eg yn i ganol o.

CRYSMAS : Jygyn.

JOHN HUWS : Un, dwy, tair, pedair, pump. I'r dim. Gymri di ddiod o laeth?

MARI HUWS : Steddwch wrth ochor John ar y fainc Crysmas Huws. Mi a i nôl y cardyn a'r swllt i chi.

CRYSMAS : Mi ddoth yn o sydyn yn Nymbar 7.

MARI HUWS : Oes rhwbath wedi digwydd i Rhisiart?

CRYSMAS : 'I dad o fu farw bora. Thrymbosis a mae arno fo ddeuddag swllt i mi.

JOHN : Tybad.

CRYSMAS : Oes, bob dima.

JOHN : Mi faswn i'n taeru ma fo welis i'n mynd heibio ar 'i feic gynna a chawall cimwch ar 'i gefn.

MARI HUWS : Amgylchiad. Oes gynno chi fân bresiach John? Mi fydda'n well i mi alw yno, a mi a i â chwartar o'r te rhydd o siop Jane hefo mi.

CRYSMAS : Wel, pnawn da John Huws.

JOHN HUWS : Tendia di'r petha Prince 'na, ma' nhw'n llawn castia.

(CRYSMAS YN DYCHWELYD AT EI FEIC— SIARAD)

Ma gin i ryw syniad fod rwbath mawr ar ddigwydd. Ymhle gebyst y ces i y profiad yma o'r blaen. Yn Ffrainc? Naci wir. Ia dyna fo. Yn nhaflod Coicia Bach ychydig o eiliada cyn i droed y gwely fynd drwy'r llawr i'r tŷ llaeth.

Gest ti lonydd rhen feic. Ma' pob dim i weld yn 'i le. Pwmp, cloch, a lamp. Erbyn meddwl ma'n siwr fod y plant yng nglan y môr ar bnawn braf fel hyn.

(CYCHWYN AR GEFN EI FEIC)

Tyrd mi gnawn ni hi adra dow dow.

(Y BADLAN YN GOLLWING EI GAFAEL A CHRYSMAS YN CAEL CODWM)

Y diawlad. Pam fod pobol yn enwedig plant â'u dant yna' i. Mr. Crysmas Huws V.C. Sawl gŵr yng Nghlwt y Bont fedar ddangos medal fel hon. Pan o'n i'n hogyn y rhai a lwyddodd i aros adra o'r rhyfal a wawdid. Tybad a ddoth tro crwn ar betha'. Oho, mi gwela i hi. Mi gwela' i hi. Mi gwela i hi. Ma'r cwbl yn glir fel jin i mi rwan. Fy ngwaith sy'n 'y ngneud i mor amhoblogaidd. Plismon, cipar, trethwr, beili, trafaeliwr. Trafaeliwr. Pam nad es i i'r môr, i heddwch, i wareiddiad. A, mi wela' i beth oedd achos fy nghodwm i. Y plant gebyst ma eto. Dadsgriwio'r badlan; dyna dric budur. Hitia befo'r hen feic mi ro i'r badlan yn fy mhocad a mi powlia i di i'r efail. Fydd Dafydd y go' ddim yn hir yn trwsio dy friwia di.

(SWN MWMIAN YN Y PELLTEROEDD)

Glywi di rwbath Swift. Indiaid Cochion yn dwad o'r mynydd i'r ddôl i nol swpar dwi'n meddwl. Naci, aros; weli di be wela' i? Y giwad plant 'na. Mae'r dderwen fawr yn llawn ohonyn nhw. Tyrd mi awn ni i'r efail at Dafydd.

(PLANT YN LLAFAR GANU)

Dyn swllt, dyn socs
Crysmas Huws, Crysmas bocs.

(SWN GEFAIL. CURO AR YR ENGAN)

DAFYDD Y GOF: Helo Crysmas Huws. Bedi'r helynt? Pynjar?

CRYSMAS: Naci Defi bach. Yr hen blant cebyst na eto. Dadsgriwio'r badlan ddaru nhw, a phan oedd fy nghoes dde i yn yr awyr ar hanner y ffordd i'r cyfrwy mi ollyngodd 'i gafal a mi ges godwm.

DAFYDD: Mae'ch gên chi'n gwaedu'n o arw; gymrwch chi ddysglad o ddŵr cynnas i golchi hi?

CRYSMAS: Diolch Defi bach. Diolch. Anghofia' i mohonoch chi.

DAFYDD : Ple mae'r badlan?

CRYSMAS : O dyma hi. Mi trawis hi yn fy mhocad.

DAFYDD : Fydda' i ddim yn hir hefo hon.

CRYSMAS : Diolch machgan i. Mi stedda' i ar y blocyn acw os ca' i. Ma' gin i isio sgwennu llythyr go bwysig. Mi liciwn i weld wynab Mr. Bear wedi iddo fo ddarllen hwn.

(DARLLEN Y LLYTHYR)

s.s. Inverarder,
Valparaiso.
Bore Sul.

Annwyl Mr. P. Bear,

Hyn sydd i'ch hysbysu fod y *drygedydd* Crysmas B. Huws yn ymddiswyddo o fod yn gynrychiolydd y Mri Bears' Betterwear.

Arwyddwyd,

Huws, Crysmas B.

O.N. Nid wyf wedi derbyn rysêt am y siec am bymtheg a grôt. *(Sŵn corn stemar)*

DIWEDD

Y GWR DIARTH

Golygfa   Cegin "Yr Hetar" ym mhentre "Twmpath."

Cymeriadau   Sian Seimon   (
                      Marged Seimon (Dwy hen ferch.
                      Gŵr diarth
                      Tomos Plisman
                      Mr. Roberts Person
                      Lleisiau plant

Amser   *Gyda'r Nos*

SIAN : Fasa rwbath gin ti fy nhrio i? Yr adnod gynta yn
    Salm 46.

MARGED : Go hed.

SIAN : Duw sydd noddfa a nerth i ni, cymorth hawdd ei
    gael mewn cyfyngder.

MARGED : Adnod newydd sbon?

SIAN : Mae hi'n newydd i mi.

MARGED : Wyt ti'n cofio fel bydda Nhad yn deud "Mae'r
    hen noddfa a nerth gin Twm Crydd ym mhob man
    ond rhwng ei frechdan amser te ddeg."

SIAN : Mae o'n deud ein profiad ni i gyd.

MARGED : Twm Crydd?

SIAN : Naci'r Salmydd.

MARGED : 'Rwyt ti'n rhoi'r drol o flaen y ceffyl. Ti sy'n
    deud ei brofiad o. 'Rydach chi wedi ddeud o mor
    amal nes 'rydach chi wedi mynd i feddwl ma'ch profiad
    chi ydi o.

SIAN : O'r tad, ydi raid i ti fod mor llawdrwm ar bobol y
    Seiat?

MARGED : Wnaeth y Seiat ddim erioed i mi. Wnes inna
    ddim erioed i'r Seiat ond rhoi gorau i ddwad iddi
    hi am ei bod hi'n rhy hen ffasiwn. Mae rhedeg arni
    hi yn fwy hen ffasiwn wedyn.

SIAN : Wyt ti'n credu fod na fyd ar ôl hwn?

MARGED : Oes 'na dorth at fory?

SIAN : Nag oes. 'Rydw i wedi peri i Jane gadw torth fawr a thorth bach i ni. Mae Mr. Owen yn bwyta fel ceffyl y dyddia yma.

MARGED : Pylia digon rhyfadd fydd o'n gael. Gormodadd neu'r nesa peth i ddim. Rhoi'r dorth a'r menyn o'i flaen o wnes i amser te. 'Roedd fy mraich i wedi mynd i frifo wrth dorri iddo fo. 'Rydan ni'n lwcus iawn ei gael o.

SIAN : Rhagluniaeth ddaeth â fo yma.

MARGED : Sian bach paid wir a dechrau pregethu eto.

SIAN : Mae o'n cael ei benblwydd heddiw.

MARGED : Ofynaist ti faint ydi oed o?

SIAN : Do. "Faint ddyliech chi" medda fo.

MARGED : Hanner cant.

SIAN : Hanner cant ddeudis inna. "Dyna chi wedi fy hitio i" medda fo.

MARGED : Toes dim dichon deud pa bryd mae o o ddifri a pha bryd mae o'n smalio.

SIAN : Faint sy' ers pan mae o yma?

MARGED : Bron i dri mis.

SIAN : Y tri mis brafia fu ar ein penna ni 'rioed.

MARGED : Ia, ond mi fasa'n dda gin i tasa ni'n cael mwy o'i hanes o.

SIAN : Y cwbwl wyddom ni ydi ma William Owen ydi enw fo.

MARGED : Os gwyddom ni hefyd. Tydi o ddim wedi derbyn dim un llythyr ers y dydd mae o yma.

SIAN : Tydan ninnau ddim chwaith.

MARGED : Do, fe ddaeth yna ddau bora 'ma pan oeddat ti yn yr ardd yn tannu dillad. Bil y dreth oedd un a rwbath gan Persil oedd y llall.

SIAN : Mae o'n talu bob nos Wener fel cloc.

MARGED : A mae o'r peth ffeindia fyw.

SIAN : Mi roth focs siocled i mi amser te.

MARGED : Welis i 'run o'r rhain ers pan oedd fy nhad hefo'r Blue Funnel. Mi gwela i hi'r funud 'ma. Wedi gadael ei long mae o i ti.

SIAN : Tydi o ddim i'w weld yn poeni llawer am ddim.

MARGED : Gwneud ati i edrach yn ddidaro mae o. Mae o'n byhafio 'run fath â hogyn ysgol.

SIAN : Pam na fasat ti'n ei holi o'n iawn cyn ei dderbyn o i'r tŷ 'ma?

MARGED : Eich enw chi, eich gwaith chi, eich oed chi, priod ta sengal, cyfeiriad, oes gynnoch chi blant, ydach chi'n Rhyddfrydwr, wnewch chi gymryd glasiad?

SIAN : 'Rydan ni yn gwbod ei fod yn ddyn sobor a mae o wedi deud bedi waith o.

MARGED : Cymryd diddordeb mewn hen bethau. 'Does ryfadd ei fod o'n lecio ei le yma.

SIAN : Mi fasa'n ddyn golygus iawn tasa modd ei berswadio fo i dorri ei locsyn.

MARGED : Paid â gwneud hynny. Ei locsyn o ydi'r peth cynta fydda i yn ei weld wrth fynd â phanad iddo fo yn y bora. Mae o'n gneud imi feddwl am taid.

SIAN : Chafodd taid 'rioed banad yn ei wely.

MARGED : Toes dim posib mod i fawr iawn dros fy mhump. Gwthio rhyngddo fo a'r pared byddwn i, taid yn chwyrnu a'i geg yn llydan gorad. Mi fyddwn i wrth fy modd yn edrach ar ei dafod bach o'n cyrlio wrth iddo fo anadlu, wedyn mi fyddwn i yn cribo ac yn cribo ei locsyn o hefo mysadd.

SIAN : Wyt ti'n meddwl fod yna wir yn straeon pobol y pentra 'ma am Mr. Owen?

MARGED : Berig bod.

SIAN : Wrth gwrs fod gwir ynddyn nhw. Wedi gadael ei wraig mae o a thŷaid o blant hefo hi. Synnwn i ddim.

MARGED : Mae o'n arw am blant. Erbyn meddwl o ddifri am y peth i beth doi dyn fel Mr. Owen i bentra bach snêc.

SIAN : I hel hen betha medda fo.

MARGED : Toes yn y Twmpath 'ma un dim hŷn na chath wrw Pantmoel, a dôr cwt mochyn Ifan Henri. 'Rydw i wedi laru hwrjio beic tair olwyn Lisa Ffatri iddo fo.

SIAN : Tydi hwnnw ddim yn hen iawn.

MARGED : Mae ei badls o ar yr olwyn flaen, a mae 'na ffram mahogani arno fo, wedi gneud yn sbesial i'r hen Syr Huw, tad hwn, rhag ofn iddo fo gael cricmala.

SIAN : Tai a grisiau cerrig yn y muriau, hen botia pridd, cromlechydd. Petha felly mae'r dyn yn chwilio amdanyn nhw.

MARGED : 'Roedd o ar ben ei ddigon amser te, y person wedi addo benthyg hen lyfr ryseti rhent Plas Helyg iddo fo. Wedi mynd i'w nôl o mae o 'rwan.

SIAN : 'Rydwi yn dal i gael y teimlad ei fod o yn cuddio rhag rhywun neu rwbath.

MARGED : Finna hefyd. 'Rydw i wedi trio pob sut a modd cael ei hanes o. Y funud medrai brofi fod castia ynddo fo, mae o'n cael mynd dros y drws i'r lôn.

SIAN : Mi fydd yn golled i ni.

MARGED : Bydd mi fydd.

SIAN : Marged, mae Mr. Owen wedi gofyn i mi ei briodi o.

MARGED : *(Yn disgyn i'w chadair)* Beth ! yr hen gena powld wedi gadael ei wraig ei hun . . .

SIAN : Paid ag yngan gair wrth enaid byw. Mi ddarum i addo iddo fo na ddeudwn i wrth neb —— hyd yn oed wrthat ti.

(Canu o'r tu allan. Daw Mr. Owen i mewn â llyfr mawr o dan ei fraich. Ei roi ar y bwrdd).

MR. OWEN : Mae gynnoch chi berson clyfar yma *(codi Sian a'i rhoi i eistedd ar y bwrdd)* Mi ges i . . .

SIAN : 'Rydach chi wedi bod yn yfad licar.

MR. OWEN : Mi drawis ar fargen orau ges i 'rioed—llyfr ryseti rhent Plas Helyg am bymtheg swllt.

SIAN : Rhag cywilydd i chi.

MR. OWEN : A chwedlau Esop ar y fargan.

MARGED : Fasa well i ti fynd ynghylch y dorth cofn i Jane gau.

SIAN : Ia *(mynd allan â'i basged ar ei braich)* Mi bicia i rwan.

MR. OWEN : Mae eich chwaer wedi digio hefo mi. Un wisgi ges i. Ydach chi'n stowt wrtha i.

MARGED : Bobol nag ydw. Fydda i ddim yn cyfri dyn yn ddyn os na fydd o yn cymryd amball i lasiad. Gymrwch chi dropyn o frandi? *(tywallt y brandi).*

MR. OWEN : Mi gymra i dropyn gan mai chi sy'n ei gynnig o i mi *(yfed).*

MARGED : Ydach chi'n fodlon ar eich lle yma Mr. Owen?

MR. OWEN : Fodlon . . . ydw pam? 'Rydw i'n hapusach na bum i ers llawer iawn o amser.

MARGED : Fasach chi'n fy ngweld i'n ddigwilydd taswn i'n gofyn i chi mai colli eich gwraig ddaru chi?

MR. OWEN : Baswn braidd. 'Rydw i'n hynod o ofalus o fy mhetha. Pa un o chwedlau Esop ydi'r ora gynnoch chi?

MARGED : Dwn i ddim. "Yr Eryr a'r Ceiliogod" am wn i. 'Rydach chi yn arw am blant yn tydach?

MR. OWEN : Ydw. Pam eich bod chi'n licio "Yr Eryr a'r Ceiliogod"?

MARGED : Am fod y gwan yn llwyddo ynddi hi. Oes gynnoch chi blant Mr. Owen?

MR. OWEN : Oes. Ond cofiwch chi fasa'r ceiliog gwyn ddim wedi hawlio'r buarth onibai i'r Eryr gipio'r ceiliog du oddiar do'r stabal. Wyddoch chi pa chwedl ydi'r orau gin i?

MARGED : "Yr Asyn a'r Ffarmwr."

MR. OWEN : Nid ffarmwr ydw i.

MARGED : Naci siwr.

MR. OWEN : "Yr Ych a'r Llyffant" . . . dyna i chi stori.

MARGED : Dyn môr ydach chi?

MR. OWEN : Ella reit hawdd. A medda'r fam wrth y llyffant bach, "tybed a oedd o gymaint â hyn" a dyma hi yn ymchwyddo ac yn edrach yn llawer mwy na hi ei hun. " 'Roedd o yn llawer mwy" medda'r llyffant bach.

"A oedd o'n gymaint â hyn," meddai'r fam. 'Roedd hi gymaint â bwi erbyn hyn a'i chroen hi'n dynn, dynn.

MARGED :   )

MR. OWEN :) Mwy o lawer iawn.

MR. OWEN : (Yn chwyddo eto) Cymaint â (rhydd glec ar ei ddwylo) a mi fystiodd. Mae 'na wers ynddi hi.

MARGED : Oes . . .

MR. OWEN : Peidied neb â thrio bod yn fwy na llond ei groen.

MARGED : Mae hi'n deud wrtha ni na fedrwn ni byth fod yn neb ond ni ein hunain—Mr. Williams.

MR. OWEN : Mr. Owen—William Owen.
(Marged yn codi i nôl lliain molchi oddiar ben y cwpwrdd).

MARGED : Toes dim angen bod yn Serloc Sioms i'ch dal

chi. Beth mae'r O.W. yn ei olygu ar gornel eich lliain molchi chi?

MR. OWEN : *(Yn cipio'r lliain)* Daliwch o'r ffordd arall— dyna chi W.O.

MARGED : O.

MR. OWEN : W. W.O. A bwrw eich bod chi'n iawn. Nid Owen Williams ydi pob O.W. Mi allasa fod yn Olwen Watkins neu Oscar Wilde.

MR. OWEN : *(Yn hanner chwil erbyn hyn)* Oscar Wilde— wyddoch chi rwbath am Oscar Wilde?

MARGED : Mi wn i mai cowboi ydi o.

MR. OWEN : Ia, cowboi wedi mynd o'i bwyll am fod hen ferched yn ei biwsio ac yn ei biwsio fo. *(Estyn sling o'i boced cesail a siwgrwr lwmp o boced ei drywsus. Saethu)* Preis bob tro.

MARGED : Trio malu mhetha fi 'rydach chi.

MR. OWEN : Ofn colli fy llaw arni Miss Seimon. Mae'r wlad yma yn brin o saethwrs. Crac siot Owen . . . dyna chi pwy ydw i. Ia a deudwch wrth eich chwaer . . . cofiwch chi . . . Crac siot Owen.

MARGED : 'Rydach chi'n siarad fel petai rhyfel yn ymyl.

MR. OWEN : Mi ŵyr pob penbwl fod rhyfel yn ymyl.

MARGED : Yn ymyl ple deudwch?

MR. OWEN : Yn ymyl *pawb* ym *mhobman.*

MARGED : Welson ni 'rioed ryfel yn y Twmpath 'ma a welwn i'r un byth chwaith. Unwaith yr wythnos bydd y postman yn dwad yma.

MR. OWEN : Daria chi. Damia pawb sy'n cael llonydd i fyw fel fynno fo.

MARGED : Oes rhywun yn rhwystro chi i fyw fel fynnoch chi?

MR. OWEN : Cwestiwn da i Seiat Holi *(dynwared)* Mr. Cadeirydd, mae hi'n dibynnu beth a olygir wrth fyw . . . os byw ydi mynd i'r Swyddfa erbyn naw a gweithio dan bump o'r gloch. Os byhafio ydi byw . . .

MARGED : Be ydach chi'n alw yn fyw Mr. Williams?

MR. OWEN : Mr. Owen, Mr. Owen, Mr. Owen . . .

MARGED : O reit Mr. Owen ta.

MR. OWEN : Cael mynd i ngwely amser fynno i. Ganol pnawn weithia pan fydd y felan arnai. Codi pan fynna i. Brecwast, cinio a the wedi neud yn barod i mi.

MARGED : 'Rydan ni yn gofalu bob amser fod eich prydau chi'n barod i chi.

MR. OWEN : Na, tydw i'n cwyno dim ar fy mwyd.

MARGED : Mae gynno ni ŵydd i ginio fory.

MR. OWEN : I swper baswn i yn licio gŵydd.

MARGED : Mi gawn ni beth yn oer hefo swper.

MR. OWEN : A photel stowt hefo fo.

MARGED : Os liciwch chi ddwad â hi hefo chi o'r Bedol. Wnewch chi un peth bach ofynna i chi?

MR. OWEN : Gwnaf.

MARGED : Rhoi'r sling 'na yn eich poced ac ista yn y gadair freichiau i sgwrsio hefo mi a hwyrach medrwn ni ddeall ein gilydd yn well.

MR. OWEN : Mae hyn yn swnio'n debyg i stori ditectif. "Lapiodd William Owen ei sling yn ofalus a'i roi ym mhoced ei gesail. Gollyngodd ei hun i'r gadair freichiau a chraffodd i lygad barcud Inspector Seimon."

MARGED : Sgwennwr ydach chi?

MR. OWEN : (Chwerthin) Ia sgwennwr, dyna'r orau eto. Mi faswn i'n gwagio'r tebot i chi onibai mod i ofn i chi ngalw'n ddyn y drol ludw. Ylwch, dyma i chi bensal goch. Rhowch dic wrth sgwennwr rhag i chi wastraffu'ch amsar yn Smiths yn chwilio am fy llun i ar siaced lwch.

MARGED : Mae gin i fwy o ddiddordeb o sbel yn eich hanes chi na'ch llun chi.

MR. OWEN : Mi gewch hwnnw hefyd ar y siaced lwch. William Owen, hanner cant oed, brodor o Commins Coch, addysgwyd yn ysgol elfennol y Commins, Ysgol Ramadeg Machynlleth (lle 'roedd ei daid yn daniwr) a Choleg y Bara Ceirch. Awdur "Y Gloch Dân," "Dau mewn Llwyn," "Y Tren Ddeg," a "Thrychineb Pwll y Domen."

MARGED : Gwaith.

MR. OWEN : Byw ar ei bres. Hobi . . . Hel hen ieir.

MARGED : Mi roi gamp i chi.

MR. OWEN : Be ga'i os llwydda i?

MARGED : Dwi ddim yn siwr iawn eto.

65

Mr. Owen : Bedi'r gamp?

Marged : Ateb cwestiwn ar ei ben.

Mr. Owen : REIT. Gwybodaeth gyffredinol. 'Rydw i'n barod.

Marged : Fuo chi'n hogyn bach ryw dro?

Mr. Owen : Naddo.

Marged : Fuo chi 'rioed yn fabi bach?

Mr. Owen : Naddo, fuo mi ddim. 'Ron i yn fabi mawr pan anwyd fi. Rholyn deuddeg pwys.

Marged : Ol reit ta. Pan oeddach chi'n hogyn mawr yn mynd i'r Ysgol Sul a rhywun yn gofyn cwestiwn o Rhodd Mam i chi, fyddach chi'n ateb o ar ei ben?

Mr. Owen : Na fyddwn.

Marged : Pam?

Mr. Owen : Fyddwn i ddim yn mynd i'r Ysgol Sul.

Marged : Beth fyddach chi'n i neud ar ddydd Sul pan fyddach chi adra?

Mr. Owen : Nain yn pobi, 'nhaid yn ffreta a finna'n llnau 'meic.

Marged : Ga i ofyn i chi . . .

Mr. Owen : Cewch.

Marged : Tasa chi'n mynd i'r Ysgol Sul, fasa chi yn ateb ar ei ben?

Mr. Owen : Fydd dy nain yn licio pys?
Toes gin i ddim Nain
Tasa gin ti Nain fasa hi'n licio pys?

Marged : Mr. Williams.

Mr. Owen : Mr. Owen, William Owen.

Marged : Gymwch chi dropyn o frandi?

Mr. Owen : Cyma i.

Marged : *(Yn tywallt)* 'Rydach chi'n ateb hwnna 'run fath â rhyw ddyn arall.

Mr. Owen : Mae pob dyn yn ateb hwnna 'run fath.

Marged : Mae Sian a finna yn meddwl y byd ohonoch chi Mr. y — Owen. 'Rydw i yn hoff ohonoch chi a mi faswn i yn rhoi unrhyw beth am gael ych nabod chi'n well. O'r tad, mi 'rydw i'n i chael hi'n anodd sgwrsio hefo chi heb ymddangos yn ddigywilydd. 'Rydw i'n trio gofyn cwestiwn i chi ers awr, a dyma fi. 'Rydw i'n wedi gofyn popeth i chi ond y peth sy 'arnai isio 'i wybod.

MR. OWEN : Dyma ni'n dwad yn nes adra 'rwan. Miss Seimon.. Mi helpa i chi.

MARGED : Mi wyddwn i o'r dechra y gwnaech chi.

MR. OWEN : Mae'n ddrwg gin i mod i wedi bod mor hir yn 'i gweld hi.

MARGED : Hitiwch befo. Deudwch wrtha i reit gryno rwan cyn i Sian ddwad yn 'i hôl.

MR. OWEN : Gwnaf Miss Seimon, mi priodai chi amser fynnoch chi.

MARGED : O'r hen gena, nid o'n i'n feddwl.

(Lleisiau plant o'r drws) Mr. Owen, Mr. Owen ydach chi'n dwad i chwara cowbois. *(Mr. Owen yn mynd allan).*

MARGED : Mae'r dyn fel sliwan. Pam na faswn i'n gofyn iddo fo ar ei ben. Pwy ydach chi? Bedi'ch gwaith chi? O ble 'rydach chi'n dwad?

(Cnoc ar y drws. Daw'r person i mewn).

MR. ROBERTS : Ga i ddwad i mewn Miss Seimon?

MARGED : Cewch. Cewch, Steddwch yn fanna Mr. Roberts.

MR. ROBERTS : 'Na i ddim aros yn hir, wnes i ddim ond galw i edrach oeddach chi mewn iechyd yma.

MARGED : Ydan wir diolch *(yn cadw'r brandi)* ond mod i'n dal i gael yr un hen bendro 'ma. Ma' Doctor Jones yn deud bod tropyn bach lleia 'rioed o frandi yn gneud mwy o lês i mi na dim ffisig.

MR. ROBERTS : 'Rydw i 'run fath yn union, ar y styrbans leia, 'rydw i'n cael bendro.

MARGED : Tewch. Ydi Mrs. Roberts a Brian ar i fyny?

MR. ROBERTS : Ydyn diolch, ond fod Mrs. Roberts wedi styrbio gyda'r nos 'ma.

MARGED : O . . .

MR. ROBERTS : Wedi colli Pegi'r ŵydd 'ryda ni.

MARGED : Dyna gollad. 'Rwbath sydyn ddoth arni hi?

MR. ROBERTS : Na, nid marw ddaru hi. Wedi cholli hi 'rydan ni. 'Ryda ni wedi chwilio pobman amdani hi. 'Roedd Mrs. Roberts yn meddwl y byd ohoni hi. Mae'r ddwy 'run oed i'r diwrnod bron. Mae trigain mlynedd yn oes go dda i ŵydd. Mi fydd yn anodd dygymod â'r lle acw hebddi. Ydi Mr. Owen i mewn?

MARGED : Mae o newydd fynd allan. Peth rhyfedd na fasach chi yn 'i gyfwrdd ar y llwybr.

MR. ROBERTS : Wnath o ddim digwydd deud i ble 'roedd o'n mynd?

MARGED : I chwara cowbois.

MR. ROBERTS : 'Ro'n i'n meddwl mai y fo a chi oni'n glywed yn sgwrsio pan guris y drws.

MARGED : Adrodd tipyn bach o'r Tempest 'ron i. Mi fydd yn hawdd gin i neud ar Nos Wener. Mi fuo Mr. Owen acw heno yn do?

MR. ROBERTS : Do, dyna un rheswm i mi alw. Meddwl y basa fo wedi digwydd gweld yr ŵydd ar y dreif acw wrth ddwad adra.

MARGED : Ma' gwydda yn hen betha rhyfedd iawn. Mi gerddan ymhell iawn i bori.

MR. ROBERTS : 'Roedd Pegi yn gartrefol iawn y blynydd-oedd dwytha 'ma. Troi o gwmpas y tŷ y bydda hi fwyaf.

MARGED : Mi hola i Mr. Owen pan ddaw o i'r tŷ. Mae o'n crwydro cymaint, a mae o'n sylwi ar bob dim. Mi ddoth â marblis coed pinc i'r tŷ amser te. 'Does dim diwrnod yn mynd heibio na fydd o'n dwad â rwbath adra efo fo o'i drafals.

MR. ROBERTS : Felly wir.

MARGED : Mi ddoth â draenog yma pnawn ddoe. 'Roedd o gynno fo wrth'i ochor ar y setl yn y gegin bach tra buo fo'n cael te.

MR. ROBERTS : Peth go berig i roi ar setl.

MARGED : Wel ia, fel tasa rwbath yn mynnu bod mi alwodd Tomos Plisman am banad, a wir mi steddodd yr hen griadur arno fo.

MR. ROBERTS : Y draenog druan. 'Dydach chi ddim yn ddig wrtha i am alw Miss Seimon? Ond 'doedd o'n beth od i'r hen ŵydd ddiflanu bron i'r funud ar unwaith â Mr. Owen?

MARGED : Mae popeth yn od yn y pentra 'ma ers pan ma'r dyn diarth 'na'n aros hefo ni. Mae Mr. Owen ei hun yn od.

MR. ROBERTS : Mae o'n ddyn tu hwnt o wybodus, mae o'n ddymunol, ac eto mae 'na rwbath o'i gwmpas o sy'n ych gneud chi'n anesmwyth. Pan fydda i'n sgwrsio hefo fo, mae o'n mynnu mynd gam o mlaen i bob gafael. Ydach chi'n meddwl 'i fod o'n sylweddoli fod pawb yn y pentra 'ma'n i dendio fo?

MARGED : 'Dwn i ddim. Hwrach 'i fod o.

MR. ROBERTS : Pan atebais i'r drws iddo fo 'pnawn mi trawodd rhwbath fi. 'Rydw i wedi gweld y dyn yma o'r blaen yn rhwla flynyddoedd yn ôl. Pan oeddan ni ar hanner yn te mi gofis i.

MARGED : Ia ymhle?

MR. ROBERTS : Yn Lerpwl, yng ngharchar Walton. Mi fydda'n hawdd iawn gin i alw i mewn pan fyddwn i'n Lerpwl.

MARGED : Aech chi ar ych llw?

MR. ROBERTS : Bobol, nag awn, ond mae o'n debig iawn. 'Roedd gin hwnnw farc bach coch ar waelod 'i glust chwith.

MARGED : Pa ddrwg oedd o wedi'i neud?

MR. ROBERTS : Trio lladd 'i wraig wnaeth o. Cofio darllen am y peth yn y papur.

MARGED : Oedd gynno fo locsyn yr adag honno?

MR. ROBERTS : Nag oedd. 'Doedd gin hwnnw ddim locsyn.

MARGED : Fo ydio reit siwr i chi.

MR. ROBERTS : Mae nhw'n deud fod yna ddau o bawb.

MARGED : Mae un fel hwn yn ormod yn fy nhŷ i Mr. Roberts.

MR. ROBERTS : Ydach chi'n cael llawer o drafferth hefo fo?

MARGED : Bobol, nag 'dan. Fuo 'na ddim nobliach dyn yn y tŷ 'ma 'rioed.

MR. ROBERTS : A mae gynno fo ddigon o arian?

MARGED : Mae o'n talu i mi am 'i le bob nos Wener fel cloc, ond mae 'na rwbath braidd yn blentynaidd ynddo fo weithia. Heno ddwytha 'roedd o'n mynnu saethu siwgwr lwmp hyd y tŷ 'ma hefo sling.

MR. ROBERTS : A welsoch chi ddim colli dim o'r tŷ ers pan mae o yma?

MARGED : Naddo dim un dim, mae o'n onast fel dur, yr ansicrwydd 'ma sy'n fy lladd i. Onibai fod gynno fo rwbath i'w guddio mi fasa'n deud i hanes yn rhydd wrtho ni 'run fath â phob criadur arall.

MR. ROBERTS : Oes yna rywun arall yn y Twmpath 'ma, na tydan ni ddim yn siwr ohono fo. Erbyn meddwl am y peth 'toes gin i ddim co' i minnau ddeud llawer o fy hanes wrth yr un o'r plwyfolion.

MARGED : Peidiwch â chyboli, 'roedd Mr. Richards yr hen Arch Ddiacon wedi deud ych hanes chi'n llawn wrtho ni cyn i chi ddwad yma 'rioed. 'Ryda chi yn un ohono' ni yn y Twmpath ers blynyddoedd bellach. Chi a Mrs. Roberts.

MR. ROBERTS : A Pegi. Mae colli'r ŵydd yn mynd i ddeud ar Mrs. Roberts mae arna' i ofn.

MARGED : Mae Brian gynno chi . . .hogyn da . . .

MR. ROBERTS : Da i ddim ond i reidio moto beics Miss Seimon, a hynny Sul, gwyl a gwaith. Mi fuo raid i mi adal fy mhregath ar 'i chanol pnawn Sul a mynd i'r fynwant i grefu arno fo ddiffod yr hen fotor mawr 'na sy gynno fo.

MARGED : Chwara teg iddo fo. Mae Sian yn hir yn y siop 'na.

MR. ROBERTS : Mae'n well i mi feddwl am 'i throi hi Miss Seimon. Hwyrach y soniwch chi am yr ŵydd wrth Mr. Owen pan ddaw o i'r tŷ?

MARGED : Mi fydda i'n siwr o neud. Mae'n siwr y daw o draw i ddeud wrtho chi os bydd o wedi 'i gweld hi. Mr. Roberts fasa rwbath gynno chi aros hefo mi nes daw Sian. Tydw i ddim yn teimlo'n rhy gyfforddus. I feddwl yn bod ni wedi rhoi llochas i lofrudd am dros dri mis.

MR. ROBERTS : Peidiwch â bod yn rhy fyrbwyll 'chwaith Miss Seimon. Taswn i heb sôn am y dyn hwnnw welis i yn Walton . . .

MR. ROBERTS : Na, mi 'ron i wedi 'i ama fo ers tro. Mi wyddwn i o'r dechrau 'i fod o ar berwyl drwg.

MR. ROBERTS : Ydi Tomos Plisman ddim wedi llwyddo i gael rhywfaint o'i hanes o bellach?

MARGED : 'Dwn i ddim. Mae Tomos mor ara deg. Mae o yma ers pum mlynedd ar hugain a wyddoch chi mai hwn ydi ei gês cynta fo.

MR. ROBERTS : Mae o'n bur agos i riterio erbyn hyn.

MARGED : Ydi. Mae o wedi mynd yn ddiog Mr. Roberts. Pob tro y sonia i wrtho fo yr un ateb ydw i'n gael fel tôn gron "Mae gan bob dyn hawl i gymyd holides am dri mis Marged bach," medda fo. "Mae'n rhaid iddo fo neud rwbath pendant fel dwyn neu gwffio cyn medra i afael yn 'i adan o."

MR. ROBERTS : Mae'n berig 'i fod o'n iawn y tro yma. Dyna'r drefn Miss Seimon.

MARGED : Trefn uchal iawn gin Tomos. Mae o'n hapus dan bob trefn sy'n arbad gwaith iddo fo.

SIAN : *(Yn rhuthro i'r tŷ).* Mae'r pentra 'ma'n ferw *(tawelu).* O su'dach chi Mr. Roberts? Jane Jones y siop yn deud wrtha i fod Tomos wedi cael gwbod pwy ydi Mr. Owen. Rwbath Oliver ydi enw iawn o.

MARGED : Ydi Tomos wedi 'i arestio fo?

SIAN : 'Roedd Mr. Tomos wedi 'i ama fo ers tro medda Jane ond 'i fod o'n methu cael esgus i 'restio fo, ond mi nath rwbath allan o'i le heddiw. Toedd Jane ddim yn siwr be, a mae Tomos am 'i gloi o i mewn heno.

MR. ROBERTS : Chwara teg i Tomos *(ar ffrwst)* ond fy ngŵydd i siwr iawn, Pegi druan. Ysgwn i a ydi hi'n fyw. Tendiwch gael imi fynd allan. Ble mae'r plisman 'na. Ble mae o. Ble mae o?

SIAN : Bestad i'r dyn. Beth oedd wnelo'r ŵydd â'r peth?

MARGED : Ple cest ti'r ŵydd sy' gynno ni at ginio fory Sian? Dwad y gwir Sian bach.

SIAN : 'I phrynu hi am goron gin Jac yr Odyn 'nes i.

MARGED : Chest ti 'rioed ŵydd am goron. Wyt ti'n siwr nad gin Mr. Owen y cest ti hi?

SIAN : Naci naci naci. Gin Jac yr Odyn. Mi roth fargan i mi "Mi cei hi am goron Sian," medda fo "tydi hi ddim llawn cyn fengad a'r lleill. Dyro ias o ferwi arni hi cyn ei rhostio hi."

MARGED : Sian. Gŵydd y person. Mae hi yn y popty 'na yn rhostio y funud 'ma.

SIAN : Pa wahaniaeth os talodd Jac yr Odyn amdani hi cyn 'i hailwerthu hi i mi.

MARGED : Thalodd neb amdani hi. 'I dwyn hi 'nath Jac, ia 'i chipio hi oddiar lawnt y Rheithordy. Holi 'i hynt hi 'roedd Mr. Roberts gynna. 'Roedd o'n ama mae'r dyn diarth 'ma oedd wedi dwyn hi. Bron nad o'n inna'n cydweld â fo. Mae Mr. Owen yn y ddalfa erbyn hyn, a Jac yn y Bedol yn gyrru dy goron di i lawr y lôn goch.

SIAN : Waeth iddo fo gael ei restio am ddwyn gŵydd mwy na'i 'restio am adael i wraig a'i blant.

MARGED : Fydd o mo'r tro cynta. 'Ryda ni'n llochesu llofrudd Sian.

SIAN : Be?

MARGED : Mae o wedi bod yng ngharchar am drio lladd ei wraig. 'Roedd Mr. Roberts y person yn cofio 'i weld o yn Walton pan oedd o yn Lerpwl yn giwrat.

SIAN : Yr hen gena. 'Roeddwn i'n drwg licio'r hen sling 'na sy' gynno fo, o'r dechra.

MARGED : A fel tasa trio lladd 'i wraig ddim yn ddigon gynno fo dyma fo'n trio'n priodi ni'n dwy yr un noson.

SIAN : Ofynnodd o i titha'i briodi o hefyd?

MARGED : Naddo. Deud wrtha i 'naeth o y prioda fo fi, cyn i mi ofyn iddo fo. Yr hen gena stimddrwg . . . 'toedd dim awr er pan oedd o wedi gofyn i ti 'i briodi fo.

SIAN : 'I wrthod o 'nes i cofia. 'Roedd gynno fo bob hawl i gynnig 'i hun i ti.

(Tomos yn dod i mewn)

TOMOS : Oes gin ti banad ar dro Sian? Mae ngheg i fel nyth cath.

SIAN : Fydda i ddim dau funud yn gneud un i chi.

MARGED : 'Ron i'n clywad ar ôl Jane Jones y siop 'ych bod chi'n mynd i 'restio'r dyn diarth 'ma o'r diwedd.

TOMOS : Rhaid i mi gael rhwbath pendant yn erbyn y dyn Margiad bach cyn y medra i afal yn 'i adan o.

MARGED : Yr un hen stori fel tôn gron. Fasa chi'n licio i mi enwi dau neu dri o betha mae o wedi neud? Ydi dwyn gŵydd yn ddigon pendant?

MR. ROBERTS : *(yn rhoi ei ben i mewn) (wrth Tomos)* O'r diwedd, 'rydw i'n rhedag hyd y pentra 'ma fel ceffyl sipsiwn. Y Bedol, cwn y crydd, Festri'r Capel. 'Rwan, lle mae Pegi?

TOMOS : Mae'r hen ŵydd yn y Rheithordy ers meitin. Yn cysgu'n braf yn y ffendar y gadewis i hi.

MR. ROBERTS : Ddaru o mo'i lladd hi felly?

TOMOS : Pwy? Lladd beth?

MR. ROBERTS : Pegi'n fyw. Fedra i ddim cynnig coelio.

TOMOS : Fasa hi ddim yn fyw i chi Mr. Roberts onibai i'r
Musus acw roi naid i ganol y ffordd a'i chipio hi rhwng
olwynion car Pritchard y Ffariar.

MR. ROBERTS : Mi ofala i na fyddwch chi ddim ar ych
collad Tomos. Mi sgwenna i lythyr i'r Prif Gwnstabl
heno nesa, un mawr hir, ar bapur yr Eglwys a mi seinia
i o H. P. Roberts a'r Parchedig rhwng cromfachau ar
'i ôl o. Mi fyddwch ar y Prom yn Llandudno'r Ha'
nesa gewch chi weld.

TOMOS : Cymrwch goblyn o ofol Mr. Roberts bach. Mae'n
llawer gwell gin i yng Nghymru.

SIAN : Ych te chi Tomos. Gymwch chi panad Mr. Roberts?

MR. ROBERTS : Na, dim panad. Sut gwyddach chi Tomos
mai'r wydd acw oedd hi?

TOMOS : Mi es â hi i'r "Lost Property" a chyn mod i wedi
cau y drws mi ddaeth Mrs. Roberts ar y ffôn.

MR. ROBERTS : Diolch filoedd i chi. Diolch. Diolch. Nos
dawch i gyd.

MARGED : Ydach chi am 'restio'r dyn diarth yma Tomos?

TOMOS : Synnwn i ddim . . .

MARGED : Mi synnwn i . . .

TOMOS : Gwrandwch 'rwan y ddwy ohonoch chi. Tydach
chi ddim mwy na finna isio gweld plisman a swydd-
ogion yn llenwi pob tŷ yn y Twmpath 'ma.

SIAN : Mae'n rhaid cael pen ar helynt y dyn diarth 'ma.

TOMOS : Rhaid siwr, a mi 'rydw i'n gaddo i chwi rwan y
ca i ben ar yr helynt cyn mynd o'r tŷ yma heno. Ble
mae'r dyn diarth?

MARGED : Mae o allan yn chwara hefo'r plant 'ma.

TOMOS : Reit rydw i am i chi wrando'n astud rwan . . .
a da chi peidiwch â siarad ar fy nhraws i. (*Tynnu llun
o'i boced*). Drychwch ar y llun 'ma.

SIAN : 'Roeddach chi dipyn fengach pan dynnwyd hwn.

TOMOS : Nid fy llun i ydio. Os nag ydw i yn methu'n arw
dyma lun eich lojiar chi.

MARGED : Ond toes gin hwn ddim locsyn.

TOMOS : Nag oes siwr . . . dyna'r pwynt. Mae'r llun yma
wedi ei dynnu yn Lerpwl dri mis yn ôl. Go brin y

tyfa'ch lojiar chi y locsyn mawr 'na sy' gynno fo mewn tri mis.

SIAN : Ond mae o wedi' dyfu o, mi gewch ei weld pan ddaw o i'r tŷ.

TOMOS : Caf mi ga i weld, mi gewch chitha weld hefyd. Fydda i ddim yn hir yn cipio'r locsyn gosod 'na oddiar ei ên o.

MARGED A

SIAN : Locsyn gosod.

TOMOS : Mae'r dyn yma, eich lojiar chi, William Oliver ar ffo ar draws ac ar hyd y wlad yma ers dros dri mis. Mae'r papur yma â'i lun o arno fo wedi hongian yn yr offis acw ers tro rwan. Pnawn 'ma mi tynnis o i lawr. Mi 'ron i isio papur go fawr i lapio pwys o fenyn i'w anfon i'r Chief, a mi welis ei lun a mi nabodis o yn y fan.

SIAN : Ond y locsyn?

TOMOS : Mae'r awdurdodau yn Lerpwl yn gwbod hanes y locsyn hefyd. Mae 'na gyfeiriad ato fo o dan y llun yn Saesneg . . . y gallasa fo fod yn gwisgo locsyn gosod. Pan ddaw o i'r tŷ rydw i am i chi fod mor glên â medrwch chi hefo fo. Mi ruthra inna ar y ddwy iar goch 'na sy' ar y dresal a gweiddi . . . Mr. Oliver, a mi gewch chi ei weld o yn cochi. Wedyn mi af ato fo a chipio ei locsyn o i ffwrdd, a mi geith gysgu heno yn y "Lost Property."

SIAN : Difai lle iddo fo.

MARGED : Am ein twyllo ni cyhyd. 'Roswch chi nes daw o i'r tŷ, mi ddeuda i air neu ddau o'i hanes o wrtho fo.

TOMOS : Cymrwch ofal na ddeudwch chi 'run gair wrtho fo neu mi ddifethwch fy mhlania i i gyd. Mi gewch ddeud be fynnoch chi wrtho fo ar ôl i mi ei 'restio fo.

SIAN : Rhowch glo iawn ar ddrws ei gell o Tomos. 'Tae o'n digwydd dianc heno yma doi o ar ei union. Fasa waeth gynno fo'n saethu ni'n dwy mwy na phoeri.

TOMOS : Ia mae gynnoch chi boint cry yn fanna. Fasa waeth ei grogi o am saethu tair mwy nag un. Treiwch fod yn dawal rwan.

MARGED : Mae o'n hir iawn yn rhwla. Ydio beidio â bod

wedi ama rwbath a chymryd y goes? Ydach chi wedi edrach ar ei glust o Tomos?

TOMOS : Pam dyliwn i . . . nid dafad ydi'r dyn.

MARGED : 'Roedd Mr. Roberts yn deud fod yna farc bach coch i fod ar ei glust chwith o.

(Mr. Owen yn dod i mewn).

MR. OWEN : Un garw ydi 'rhen hogyn bach tai Ffatri 'na. Dyna'r gora welis i 'rioed hefo sling. Helo Tomos . . . 'rydach chi'n gweithio yn hwyr iawn.

TOMOS : Wnes i ddim ond galw am sgwrs bach, toes dim un dichon cael gafal arnoch chi yn ystod y dydd.

SIAN : Gymrwch chi rwbath i fwyta?

MR. OWEN : Na, dim diolch, fedra i fyta dim, mi berswadiodd y plant 'na fi i fynd i'r Siop Chips.

TOMOS : Mr. Oliver. Oliver. Mr. William Oliver.

MR. OWEN : Ydach chi wedi gosod fy llofft i i rywun Miss Seimon?

TOMOS : Rwan Mr. William Owen, glywsoch chi son am Mr. William Oliver?

MR. OWEN : Mi glywis son am Mr. Oliver Cromwell.

TOMOS : Rydw i o ddifri rwan Mr. Owen, a mi fydd y Musus acw yn rhoi popeth ddeudwch chi i lawr yn fy llyfr bach i ar ôl i mi fynd i'r tŷ.

MR. OWEN : O reit, o reit dowch ymlaen. Plastrwch fi efo cwestiynnau. Tydw i ddim wedi gneud dim yr wythnos dwytha 'ma, ond ateb cwestiynnau pobol y pentra 'ma. Mi faswn i wedi gadael y lle 'ma ers talwm onibai am y plant.

TOMOS : Wyddoch chi rwbath am William Oliver?

MR. OWEN : Un dim ar y ddaear. Na rhoswch am funud. Be gebyst glywis i am y dyn. 'Rydw i wedi clywad yr enw yma yn rhwla o'r blaen.

TOMOS : *(Yn tynnu llun o'i boced).* Ydach chi'n nabod y llun yma Mr. Oliver? Cymrwch olwg olwg iawn arno fo.

MR. OWEN : Nid Mr. Oliver ydi f'enw i, a welis i 'rioed o'r blaen mo'r llun yma. Do, do, mi gwelis o taswn i ddim ond yn medru cofio ymhle. O, ble gebyst gwelis i o o'r blaen.

Tomos : Triwch chi gofio neu mi fydd rhaid i mi eich hatgoffa chi.

Mr. Owen : Yr Herald. Ia, dyna fo, yn yr Herald y gwelis i ei lun a'i hanes o.

Tomos : Pa Herald oedd honno ysgwn i?

Mr. Owen : Yr Herald Gymraeg rhyw dair wythnos yn ôl.

Tomos : Peth rhyfadd na fasa'r Musus 'cw wedi ei weld o . . . mae hi'n darllen pob gair ohoni hi o'r "Ar Werth" i'r "Ar Osod."

Mr. Owen : Mi fedra i brofi i chi. 'Rydw i'n cadw darnau o'r Herald ers ugain mlynedd. 'Rydw i'n meddwl y byd o "Golofn Glan Rhyddallt." Rhowch ddau funud i mi bicio i'r llofft i'w nôl o.

Tomos : Stopiwch. Peidiwch â symud cam o'r lle 'rydach chi. Hwyrach bydd yn haws i chi gofio wedi i mi gipio'r locsyn gosod 'na oddiar eich gên chi *(yn tynnu yn y locsyn a hwnnw'n cau gollwng)*.

Mr. Owen : O. O. O. rho gora iddi'r penbwl *(taro Tomos i lawr a dianc i'r llofft)*.

Tomos : *(Ar lawr)* Mae gin y cena yna slap fel cic ceffyl.

Marged : Codwch ddyn, mi fydd drwy ffenast y llofft 'na ac yn yr ardd cyn pen chwinciad i chi. Welwn ni byth gip arno fo eto.

Tomos : Gobeithio wir. Dydach chi ddim wedi ei weld hi. 'Rydach chi'n ddwl fel ieir. Fedra i ddim gafael yn ei adan o heb gael rwbath pendant yn ei erbyn o.

Sian : Yr hen dôn gron. Plisman drama.

Tomos : Dydi'r dyn cyn laned â chi a finna, lanach hefyd. Locsyn ei hun sy' gan y dyn. I be gwrandewis i arnoch chi 'rioed. Welis i 'rioed ddaioni yn dwad o 'restio neb. Byth eto. Byth tra bydda i byw.

Sian : Beth am y llun? Mae'r llun yn brawf digon pendant i chi ei roi o dan glo y funud yma.

Mr. Owen : *(Yn dod i mewn, ei gôt yn un llaw a bwndel o'r Herald yn y llall)* 'Rwan, dowch weld y llun Tomos.

Tomos : Cewch, cewch, cymwch o, cadwch o. Toes arna i ddim isio'ch gweld chi na fynta byth bythoedd. Gluwch hi.

Mr. Owen : Mi a i yn fy amser fy hun Tomos, ar ôl i chi gael gweld llun arall o William Oliver a chlywad be sy' gan yr Herald i ddeud amdano fo. Mae'r llun a'r hanes yn y pentwr 'ma'n rhwla. Dyma fo, drychwch ar y llun 'na Tomos, os nag ydi'r ddau lun yna'n William Oliver tydi f'enw i ddim yn William Owen.

Tomos : Ydyn, ydyn. 'Rydach chi'n iawn, cerwch o ngolwg i wir, y bobol 'ma gorfododd fi ich 'restio chi. Arestis i neb erioed o'r blaen a wna i byth . . .

Mr. Owen : Gwrandwch chitha eich dwy ar hwn (darllen o'r Herald) "Ar ei ffordd i'r ddalfa William Oliver a ddedfrydwyd i garchar am ei oes ar ôl ei brofi'n euog o geisio lladd ei wraig. Ar y dde i Oliver yn y darlun y mae'r Heddwas Price, a welodd Oliver yn cysgu yn un o gerbydau Rheilffyrdd Prydeinig yng ngorsaf Caer." Ydach chi'n teimlo'n well rwan? O. Miss Seimon dyma i chi dair punt am fy lle i . . . a dyma i chi bump arall, gwnewch de parti i blant y pentra. Os byddwch chi awydd anfon cerdyn Nadolig i mi Miss Seimon, hwn fydd fy nghyfeiriad i ar ôl i mi gael caniatad y Doctor i ddechra gweithio. Da boch chi. Codwch eich calon Tomos, tydach chi ddim hanner mor ddrwg â'ch golwg. Ylwch, dyma i chi bresant bach . . . rwbath bychan i gofio amdana i. Nos dawch.

Marged : Agorwch o Tomos. (Neidia Jac yn y Bocs allan)

Tomos : Jac yn bocs. Mae pawb wedi mynd i nghymryd i yn sbort. (mynd adra)

Sian : (Yn darllen y cyfeiriad) : William Owen, M.A., F.R.A.A., Ceidwad yr Amgueddfa, Bro'r Ceiri.

Marged : Mi fydd ei le fo'n wag iawn yma.

Sian : Bydd. Mi grefis i ddigon ar Tomos fod llonydd i'r dyn. Plisman dwl fel hwn yn tynnu locsyn dyn â gradd gynno fo.

(Lleisiau Plant)

Miss Seimon, Miss Seimon, Mae 'na ddyn yn y drws yn gofyn fyddwch chi'n cymryd lojiars.

Y DYN CODI PWYSAU

Cymeriadau: Elin Owen—mam
                    Taid
                    Robat—mab (codi pwysau)
                    Gwen—merch
                    Dafydd—mab
                    Mici Marconi—dyn trwsio T.V.
                    Mr. Huws   )
                    Idwal   )
                    Jane Jones)
                    Mrs. Huws)   Cymdogion

GOLYGFA 1

Cegin, cartref Robat yr hogyn codi pwysau. Set deledu mewn lle amlwg. Cwpanau mae Robat wedi eu hennill, ar draws ac ar hyd. Mae Elin Owen, ei fam weddw, yn ei hwylio fo i Gaerdydd. 11 a.m. Dydd Gwyl y Bocs.

ELIN : *(Yn gosod y bwrdd). (Gwen y ferch yn gorwedd ar y soffa yn darllen. Taid yn eistedd wrth y tân).*
Mi fasa yn dda gin i tasa'r hogyn Robat 'na'n dwad yn ei flaen, deng munud union sydd gyno fo na fydd Huw Pen Lôn yma.

ROBAT : *(O ben y grisiau)* Gwen, faswn i ddim yn cael menthyg dy grib pinc di?

ELIN : Atab yr hogyn.

GWEN : Basat, tasa ti'n dwad i nol o.

ELIN : Lle mae o?

ROBAT : Fedra i ddim dwad i lawr, does gin i ddim trowsus.

ELIN : Dwad lle mae o, Gwen bach, gael iddo fo ddwad yn ei flaen.

GWEN : Mae o yn fy mag i ar ben y telefision.

ELIN : Mi fasa yn dda gin i tasach chi'n peidio rhoi eich pethau ar ben y telefision, toes yna ddim ond cwpan Robat i fod ar ei phen hi. *(Agor y bag)* Gwen, 'dwyt ti 'rioed yn smocio?

GWEN : Dafydd pia nhw.

(Elin yn danfon y crib i Robat ar ben y grisiau)

TAID : *(Yn symud at y bwrdd, ac yn dechrau bwyta bwyd Robat).*

ELIN : O! yli pam na fasat ti'n ei rwystro fo, dwyt ti ddim adra'n amal a phan fyddi di adra wnei di ddim un glyfiniad o ddim i fy helpu. *(Mynd i'r pantri)*

GWEN : *(Yng nghlust ei thaid)* Cinio Robat ydi hwn. Taid.

TAID : Ddoist ti â nghomic i?

GWEN : Do, Robat pia hwn.

TAID : Ydyn nhw wedi rhoi carrag ar Robat bellach?

GWEN : Robat ni, nid dewyrth Robat.

TAID : Hen gnawas ydi dy fam. 'Roedd Elin yn ffeindiach peth o'r hannar.

GWEN : Elin y*di* mam.

TAID : Ydyn nhw wedi rhoi carrag ar Elin?

GWEN : Ydyn, un felan a llun Robin Goch arni hi.

TAID : Gwen! 'Rwyt ti yr un enw â dy nain, chdi geith fy wats arian i pan fydda i yn unarhugian. Gwrando, bedi'r styrbans diawl sy'ma bora 'ma?

GWEN : Robat sydd yn mynd i Gaerdydd; mae o ar y telefision heno, mi gewch weld ei lun o'n codi pwysau—rheicw, ylwch. *(dangos ar lawr)*

(Elin yn dod i mewn hefo platiad arall) (mynd â Taid i'w gadair).

TAID : O! Robin sy'n bwrw'i brancia. Toes yna un dim ym mhen Robin.

GWEN : Mae 'na ddigon ym môn ei fraich o *(o'r soffa).*

ELIN : Ple mae'r criadur gwirion 'na? Welis i neb erioed yn cymryd cyhŷd i hwylio â Robat. *(Yn ei gyfarfod yn y drws, Robat yn ei chodi i'r awyr).* Tyrd at dy fwyd 'ngwas i, ne' mi fydd yn amsar te.

GWEN : Fasa fawr i mi gael dwad hefo chi i Gaerdydd.

ELIN : Gad i'r hogyn fyta.

ROBAT : Huw pia'r car.

GWEN : Mi gawn ddwad gin Huw ar hannar gair. Mi faswn yn gofyn iddo fo . . .

ROBAT : Pam na wnei di?

GWEN : Mi fasa raid i mi dalu'n ddrud—mi fasa'n swnian am wsnosa isio i mi fynd allan hefo fo.

ELIN : Tyrd byta, dŵyr Gwen ar y ddaear be mae hi isio.

ROBAT : Na ŵyr, 'tydi hi ddim yn fodlon pan mae hogyn yn rhedeg ar ei hol hi, a mae hi'n cael y felan pan mae hogyn yn gwrthod rhedag ar ei hol hi.

GWEN : Nid gwningan ydw i, yli.

ROBAT : A nid milgi ydi Huw Pen Lôn.

ELIN : Rwan, rwan, tawelwch, rhag cwilydd i ti Gwen yn piwsio'r hogyn. Gad iddo fo gael cychwyn yn hapus am unwaith. Un yn crio pan fydd y llall ar gychwyn, fel'na 'rydach chi bob gafal.

DAFYDD : *(Yn cerdded trwy'r tŷ, olwyn beic yn ei law, lluchio cap taid ar ei lin a rhoi owns faco ynddo, peltan i lyfr Gwen).* Hwyl i ti heno Samson. Lle mae'r efal bedoli gin ti?

ROBAT : Dan stelin yn y bag lledar.

DAFYDD : Trawa y teiar 'ma yn ei le i mi. 'Rydw i wedi plygu bob llwy de sy'n tŷ 'ma yn trio ei gael o.

ELIN : Cyma di'r ofol.

(Robat yn rhoi y teiar mewn chwinciad). (Dafydd yn mynd allan).

ROBAT : Mam, wnewch chi ddim hel llond y tŷ 'ma o ryw hen bobol i ngweld i heno yn na 'newch?

ELIN : Na wna 'ngwas i. 'Fynnai i neb ond y cymdogion gosa.

GWEN : 'Rydw i wedi ei chlywad hi yn gwadd dwsin yma.

ROBAT : Ydach chi'n meddwl daw'r hen Mrs. Huws siwrans 'na a'i gwr yma?

ELIN : Tydyn nhw mo'r siort sala . . .

ROBAT : Hen beth sbeitlyd ydi'r hen ddynas yna.

GWEN : A Huws druan yn gorfod rhedag bob munud iddi, welis i 'rioed mono fo'n cerddad.

ELIN : Mi fasa'n dda gin i tasa'r hogyn Pen Lôn 'na'n dwad yn ei flaen. Faint gymith o i fynd i Gaerdydd?

GWEN : Dau ddiwrnod mae trên yn gymryd.

ROBAT : Rhyw chwe awr medda fo.

ELIN : Mae o'n ei thorri hi'n o fain. Cofiwch chi aros hannar ffordd i fyta'r brechdanau. Bwytwch y rhai ŵy i ddechrau.

ROBAT : Reit. *(Robat yn codi'r pwysau droeon).*

F

GWEN : Ydi'n wir os codi di lo bach newydd ei eni a dal i godi o, medri di godi o nes bydd o'n fuwch.

ROBAT : Ydi weithia.

GWEN : Pam weithia?

ROBAT : Llo gwrw ydi amball un.

TAID : Comic! Lle mae 'nghomic i? 'Rydw i am fynd i fyw at Elin. Lle gythral mae 'nghomic i?

GWEN : Dyma chi.

ELIN : Gobeithio byhafith o heno. Dwn i ddim be wna i os bydd o'n rhegi heno a'r bobol ddiarth 'na yma. Regodd o 'rioed pan oedd o'n ifanc.

GWEN : Mae o'n haws ei ddiodda pan mae o'n rhegi na pan o'n reidio yr hen geffyl pren gwirion 'na. Dwn im i be gwnaeth Dafydd beth cyn wirionad iddo fo erioed.

ELIN : Mae rhaid deud ei fod o wedi bod yn help i mi. Mi chwareith am oria hefo fo pan fydd yr hwyl arno fo.

GWEN : Os eith o ar ei gefn o heno, a'r hen Mrs. Huws siwrans 'na yma, mi fydda i yn mynd allan. *(corn yn canu).*

ELIN : Diolch byth! Tyrd 'rwan, a chofia di gymryd gofal, a phaid a rhoi gormod o straen arnat dy hun.

GWEN : Ac os bydd dyn y telefision yn holi hanas dy deulu di, cofia di son am dy chwaer, a chofia ddeud fod gin i sgwtar glas—Fespa. 63 hefo gwynt i nghefn i, cap coch a chrafat coch . . .

ELIN : Dowch. *(Elin a Gwen yn mynd allan i gychwyn Robat).*

TAID : Ple mae fy mhiball i? *(Codi, chwilio, taflu cwpan Robat oddiar y T.V.)*

(Car yn cychwyn, ta ta, cymrwch bwyll, etc.)

ELIN : Be gebyst mae hwn yn drio neud, yli'r gwpan, cwpan Robat.

GWEN : *(Yn codi'r gwpan)* Tydi hi ddim gwaeth.

ELIN : *(Yn ei chipio a'i glanhau). (wrth taid)* 'rydw i wedi pregethu digon na tydach chi ddim i gyffwrdd y telefision.

TAID : Isio mhiball.

GWEN : *(Yn ista ar ei lin ac yn taro'r bibell yng ngheg taid)* Dowch mi lodio i chi.

82

TAID : Hen gythral biwis ydi dy fam, mae Elin yn well siort.

ELIN : *(wrth Gwen)* Mae'n chwith i mi ar ôl dy dad. Dy dad oedd yr unig un fedra gadw cow arno fo.

TAID : 'Rydw i am fildio bynglo ar ochor Cwm Bach. Ydi dy fam yna?

GWEN : *(Ysgwyd ei phen)* Nagdi, mae hi newydd fynd i Sardis i gampio.

TAID : Mi gei di ddwad hefo mi os lici di. 'Rydw i am godi cwt wrth ei ochor o i gadw nghomics a maco.

GWEN : Mi wnawn yn iawn mewn siop bapur newydd.

ELIN : Paid â'i yrru o'n wirionach na mae o.

GWEN : Mae'n iawn iddo fo gael rhywfaint o sylw.

ELIN : Dydio'n dallt 'run gair ddeudi di wrtho fo.

GWEN : Mae o'n dallt mwytha yn iawn. *(Tân Charlie) (tanio)*

DAFYDD : Ddoist ti â sigarets i mi? *(lamp beic yn ei law)*

GWEN : Do, mae nhw yn fy mag i.

DAFYDD : *(Tanio)*. Pwy ydi y cowboi yma? *(edrych ar lun)*

GWEN : Idwal.

DAFYDD : Pam na wnei di iddo fo dorri'r hen locsyn clust yna?

GWEN : Tasa Robat yn deud hynna, mi goda ngwrychyn i . . .

DAFYDD : Mi 'drychai'n well o lawar hebddo fo.

GWEN : Wyt ti'n meddwl? Hwyrach y sonia i wrtho fo pnawn. 'Rydan ni am fynd am dro i Lŷn.
     (Dafydd yn ffidlian hefo lamp beic)

ELIN : Gwen, cyn i 'run ohonoch chi son am fynd i unman, sut mae hi fod hefo cinio?

DAFYDD : Pam na steddwch chi mam? 'Does gin i ddim math o isio cinio.

GWEN : Finna chwaith, 'rydw i wedi byta gormod ddoe, dwn i ddim be meddyliodd neb erioed am ginio Dolig.

TAID : Soniodd rhywun rwbath am ginio yma? Tydw i wedi cael llymad o ddim ers y mrecwast.

ELIN : Cwta ddwy-awr sydd er hynny. Tydi o'n beth od mae hwn mor fyddar â post, ond soniwch am fwyd . . . bedach chi'n ddeud ta? Mi wna i bowliad i taid, gymrwn ninna panad ffwrdd â hi'n mhellach ymlaen.

DAFYDD : Ia siwr steddwch, mi wna i panad yn munud.

Elin : A mi wnawn ni swpar iawn heno, bellad bod y bobol ddiarth yn dwad.

Gwen : Pwy ydach chi'n ddisgwyl i gyd mam?

Elin : Mr. a Mrs. Huws y siwrans a dau neu dri arall.

Gwen : Mi ddaruch addo i Robat na wahoddach chi neb ond . . .

Elin : Twt, unwaith mewn oes mae peth fel'ma'n digwydd. Sawl mam yn yr ardal 'ma sydd gin fab ar y telefision heno?

Gwen : Mam bach, tydi bod ar y telefision ynddi hun yn golygu dim byd.

Elin : Ydi siwr iawn.

Gwen : Nag ydi wir, dim mwy na bod ar y bys, neu ar y trên, neu ar y . . .

Taid : Brysiwch, brysiwch mae gin i isio mynd ar y nyth.

Elin : Dos ag o Dafydd ngwas i.

Taid : Beth sydd?

Dafydd : Mae'n ddrwg gin i Rhisiart Owen, y gyfraith ydi'r gyfraith. Mae'n rhaid i blisman wneud ei waith. *(marchio taid allan)*

Gwen : A pheth arall, tydi Robat mwy na . . .

Elin : Yli hogan, 'dwyt ti ddim i redag ar Robat yn fy nghlyw i. Wn i ddim be haruch chi . . .

Gwen : Pwy ydach *chi*?

Elin : Chdi a Robat ei hun 'ran hynny, a phlant yr oes yma i gyd, 'rydach chi'n meddwl fod tynnu'n groes yn rhinwadd na . . .

Gwen : Nid tynnu'n groes 'rydan ni.

Elin : Bod yn or-boleit ta, tasa Robat yn hogyn diarth hollol i ti mi fasat yn clapio dy ddwylo iddo fo ag ati.

Gwen : O mam!

Elin : Yli ngenath i. Y sioe orau fedri di roi i bobol o dy gwmpas di ydi bod yn naturiol. Bydd yn chdi dy hun am dro.

Gwen : 'Rydach chi yn mynnu pregethu o hyd.

Elin : Pam chdi mwy na Dafydd? Mae Dafydd wrth ei fodd fod Robat ar y telefision heno, mi brynodd y set yma'n un swydd er mwyn i mi gael ei weld o.

Gwen : 'Rydw inna wrth fy modd ond . . .

84

ELIN : Tyrd yn dy flaen ta. Y sioc sydd wedi bod yn ormod i ti, mi gei roi help bach i mi cyn mynd allan.

GWEN : *(yn codi)* Y llestri gora debig?

ELIN : Ia, mi ddown â'r llestri i gyd ar y bwrdd bach yn barod. 'Rydw i wedi gofyn i bawb ddwad erbyn wyth er mwyn i ni gael byta gynta.

GWEN : 'Dwn im pam fod rhaid i'r rhagleni Cymraeg fod mor hwyr.

ELIN : Am fod y Saesneg o'u blaen nhw medda Jones y siop, dwn i ddim sut y gwydda fo 'chwaith.

GWEN : Lle mae'r dysgla ffrwytha'n cael eu cadw?

ELIN : Yng ngwaelod y sideboard.

GWEN : Faint sydd isio?

ELIN : Tyrd â dwsin rhag ofn, tydw i ddim wedi gofyn i ddwsin cofia, ond mi alla un neu ddau droi i mewn heb eu gwadd.

GWEN : Mi fydd yn fain arnoch chi am gadeiria.

ELIN : Un yn fyr dwi'n meddwl, ond os medra i sut yn y byd, mi roi taid yn ei wely'n gynnar. *(Taid a Dafydd yn dychwelyd)*

TAID : Ia mi wn i'n iawn. Mi faswn i'n nabod castia dy fam yn rwla. 'Roedd Elin yn glefriach peth . . .

ELIN : Bedw i wedi neud 'rwan?

DAFYDD : Wedi cymryd yn ei ben fod Robat wedi mynd am operation.

TAID : Fasa fawr iddi fod wedi deud wrtha i. Wyddwn i ddim ei fod o'n cwyno. Robat oedd y cryfa ohonom ni. Wyt ti'n cofio Robat yn taflu'r drol honno i'r afon dywyll, Robat oedd y gwytna ohonom ni.

DAFYDD : Ydw, 'rydw i'n cofio'n iawn.

TAID : Wyddost ti be, Robat, mae arna i ofn fod yna rwbath yn styrbio'r defaid i lawr wrth yr afon.

GWEN : Ffarmio ydi popeth y dyddiau yma.

ELIN : Ia, mae o yn ei ôl yn Garn Fawr ar ei ben i ti.

TAID : Fydda i ddim yn dawal fy meddwl nes ca i olwg ar y moga 'na, cerwch chi drwy'r winllan Ifan Puw, mi bicia inna hefo Prins rownd Lôn Ddwr. Lle mae Prins dwad?

DAFYDD : Dyma fo, 'roeddach chi wedi ei rwmo fo wrth giat y gadlas.

(Taid ar gefn ei geffyl, Dafydd yn chwipio a troi ei gap, Elin yn sychu llygad, a Gwen yn syllu)

TAID : Wê, wê, dowch i fyny Ifan Puw, mi gwela i nhw, 'rhen gwn Glan Rafon 'na, hitiwn i run hadan a gollwng ergid yn eu tina nhw. *(Dafydd ar tu ôl)*

(Elin yn dwad â'r bara llefrith, Taid yn rhuthro at y bwrdd bach wrth y tân, ac yn bwyta'r bara llefrith).

ELIN : Mi gysgith am ddwy awr fel rheol ar ôl ei bowliad.

GWEN : Ac mi fydd yn effro ac yn mynd trwy'i brancia heno pan fydd y bobol ddiarth yna yma. Ys gwn i lle mae Robat bellach? Dwi'n siwr y baswn i wedi cael mynd hefo nhw taswn i wedi gofyn i Huw Pen Lôn.

ELIN : Ydyn nhw wedi cyrraedd hannar ffordd Dafydd?

DAFYDD : Tua hannar ffordd i fyny Dinas Mawddwy hwy-rach. Mi synna i os cyrhaeddan nhw Gaerdydd cyn hannar nos.

ELIN : Pam?

DAFYDD : Welsoch chi ben ôl yr hen gar bach yna yn mynd i lawr pan roeson nhw geriach Robat yno fo? Prin symud roedd y criadur.

ELIN : Mae Huw'n ofalus iawn, a mae o wedi arfar digon.

GWEN : Mi faswn i'n chwerthin tasa nhw yn styc ar Ddinas Mawddwy.

ELIN : *Styc,* rhag cwilydd i ti yn siarad fela am dy frawd dy hun. 'Rwyt ti wenwyn . . .

GWEN : Mi gynigis i fynd â fo i Gaerdydd ar y scwtar tasa fo yn anfon y gêr ar y trên.

ELIN : Ag yli tydi'r Idwal yna ddim i ddwad i'r tŷ 'ma eto yn yr hen drowsus peipan gwirion yna, a gwna iddo fo brynu het neu gap iawn yn lle'r hen dwdlyn . . .

(Dafydd yn chwerthin)

GWEN : Welsoch chi neb erioed yn reidio scwtar â het am ei ben mwy na gwelsoch chi bregethwr yn y pulpud yn gwisgo crash . . .

ELIN : Taw, taw, tasa ti wedi gweld cymaint, cymaint, cymaint, o o, . . .

DAFYDD : O scwtars â dy fam.

ELIN : Rwan Gwen, rho di'r treiffl yn y dysgla bach 'ma,

mi ro inna'r samon ar y brechtanau, a mi llneua i dipyn
ar yr hen le yma ar ôl i chi fynd am dro.

GWEN : Ia, mi fydd yr hen Fusus Huws yna yn tynnu bys
ar hyd y dodran 'ma i gyd i edrach wêl hi lwch.

DAFYDD : Faint ydi hi o'r gloch 'rwan?

GWEN : Tua un.

DAFYDD : *(Yn mynd at y set)* Mae 'na Gymraeg i fod ar
hon, mam.

ELIN : Naci ngwas i, naci wir, paid ngwas i.

DAFYDD : Be sarnoch chi?

ELIN : Mae gin i natur cur yn fy mhen.

DAFYDD : Deng munud mae o'n bara prun bynnag.

ELIN : Gad iddi ngwas i neu fydd yna ddim batri pan fydd
Robat wrthi heno—dwyt ti ddim yn malio nag wyt?
Mae gin i isio i bob un dim weithio heb ddim un hits
heno er mwyn i Robat gael chwara teg, mi gei di thanio
hi bum munud union i ddeg er mwyn iddi gael twmo'n
iawn.

GWEN : 'Rydach chi fel tasach chi'n sôn am injian ddyrnu.

ELIN : Rhaid i chi drio madda i'r hen wraig. Mi ddowch
chitha ar draws rhwbath newydd pan ddowch chi i fy
oed i hwyrach. Ydach chi'n cofio mod i'n cael fy mhen
blwydd dydd Merchar?

DAFYDD : 'Rydw *i'n* cofio, 'rydw i wedi prynu presant i chi.

ELIN : 'Rwyt ti ar fai yn gwario dy bres.

DAFYDD : Tydw i ddim—tydw i ddim wedi talu amdano fo
eto, a wna i ddim am sbel mae'n siwr.

ELIN : Dafydd, 'rwyt ti'n siwr o fynd i'r lifffin.

GWEN : Wyddoch chi be mae o wedi' brynu i chi mam?
Troli, troli te.

DAFYDD : Mi fasa'n glyfar i chi heno.

ELIN : Basa.

DAFYDD : Mi reda i i'r llofft i nol o i chi.

ELIN : Mae gin i ofn i Dafydd fynd i helynt hefo'r holl
wario 'ma, wyt ti'n meddwl ei fod o wedi talu am hon?

GWEN : Ydi siwr, mae o wedi talu am y troli hefyd, mae o
wrth 'i fodd yn tynnu'ch coes chi.

ELIN : Liciwn i ddim iddo fo gael y gair o fod yn ddrwg
dalwr, beth bynnag oedd dy dad . . .

DAFYDD : *(Yn dwad â'r troli)* Dyma fo.

ELIN : Dafydd, mi dynna i ddwr o ddannadd y bobol 'na heno. I'r dim, dwn i ddim be i ddeud.

DAFYDD : Tydw i ddim isio panad am wn i, 'rydw i am fynd i edrach wela i rai o'r hogia hyd y pentra 'na.

ELIN : Wyt ti'n siwr?

DAFYDD : Ydw, fydda i ddim yn hir. *(Yn mynd)*

GWEN : Oes 'na rwbath fedra i neud eto, mam?

ELIN : Nag oes, dos am dro neu mi fydd yn amsar te cyn i ti gychwyn.

GWEN : *(Yn rhoi y cap coch a'r crafat)*

ELIN : Paid â gyrru'n wirion hefo'r moto beic 'na, a chofia ddwad adra'n gynnar i roi help i mi hefo'r bwyd. *(Gwen yn mynd)* Lle mae Robat bellach tybad?

GWEN : Tynnu am Gomins Coch faswn i'n ddeud.

ELIN : Twt, twt, dyro di enw iawn ar bobol.

GWEN : Ta, ta, Elin dew.

ELIN : *(Yn rhoi rwb o llnau)* 'Rydw i'n eitha parod, dwi'n meddwl. O! panad o de.
    (Mynd trwodd i'r pantri)

TAID : *(Yn gweld y troli)* Trol! *(Powlio peth arni hi a'i rhwymo tu ôl i Prins. Tynnu y drol a'r ceffyl o'r llwyfan)*. Beg, Prins, Prins, tyrd, yp.

LLEN

GOLYGFA 2

(Mr. a Mrs. Huws y Siwrin yn eistedd yn glos yn ei gilydd. Y bwrdd bach wedi ei osod yn barod. Dafydd â chyllell yn ei law yn gwneud pib. Mrs. Huws yn cael golwg iawn ar y bwyd tra bydd Elin yn y drws).

ELIN : Mae'r hogan Gwen 'na braidd yn hir. Dydw i wedi cael dim ond poen er y dydd y prynodd hi'rhen scwtar 'na. Rhaid i chi fadda i mi am gerddad i'r drws o hyd o hyd. *(Allan)*

MRS. HUWS : *(Specian ar y bwyd)* Bedach chi'n neud 'rwan Defi?

Dafydd : Pib.

Mrs. Huws : Naci, naci, lle 'rydach chi'n gweithio?

Dafydd : Yn y gweithdy roeddan ni ddoe a heiddiw.

Mrs. Huws : O.

Mr. Huws : Oes gynnoch chi gontract fawr . . .

Mrs. Huws : Peidiwch â siarad ar fy nhraws i cariad. *(Elin yn dod i mewn)*. Ydach chi'n disgwyl llawar o bobol ddiarth, Mrs. Owen? 'Rydach chi wedi cael hwyl ar y treiffl.

Elin : Ydw.

Mrs. Huws : Oes 'na sieri ynddo fo?

Elin : Nag oes.

Mrs. Huws : O, tydi o ddim gwerth heb sieri, fedra i mo'i gynnig o.

Elin : Beth amdanoch chi Mr. Huws?

Mrs. Huws : O, mi fytith Hiwi Arnold unrhyw beth. Mi profa inna fo cofiwch. 'Rydw i'n licio'ch T.V. chi.

(Gwen yn dod i mewn a sibrwd yng nghlust ei mam)

Elin : Cei yr hen lolan. Mi wyddost yn iawn y caet ti.

Mrs. Huws : Sicret hefo mami?

Elin : Isio gwbod y cai hi ddwad â Idwal i'r tŷ. *(Wrth Dafydd)* Fi oedd wedi deud wrthi hi 'pnawn na chae Idwal ddim dwad yma yn yr hen gap tolsyn yna, cyboli ron i wrth gwrs.

Mrs. Huws : Mae hi'n neis cael merch, mor wahanol fasa'r aelwyd fach acw Hiwi Arnold tasa gynnon ni blentyn. Mae hi mor ddistaw acw.

Dafydd : Bych.

(Gwen yn halio Idwal i'r tŷ) (Idwal mewn clamp o gap)

Elin : Dowch i mewn Idwal, 'nawn i mo'ch byta chi.

Mrs. Huws : Rhaid i mi ddeud mod i ddigon o isio bwyd, eich cariad chi ydi o del? *(Ysgwyd llaw a pwniad i'r gwr i godi)*

Dafydd : Steddwch yn fama Idwal. Smoc? *(y ddau yn smocio)*

(Gwen yn mynd i'r lobi am eiliad)

Elin : Mi gawn ni damaid bach i fyta rwan, mi fydd Robat on mewn llai na hannar awr. *(Rhannu'r bwyd)*

Gwen : Mi ddeudsoch hynna run fath yn union â phobol y B.B.C.

MRS. HUWS : Ron i wedi anghofio mai i weld Robat y
deuthon ni yma. Pa bryd mae o? Rhaid i ni beidio
bod yn hwyr iawn, faint o amsar mae o'n gael?

DAFYDD : Awr a hannar. *(Tafl Radio Times iddi)* Mae ei
lun a'i hanas o'n hwnna.

MRS. HUWS : Toes gin i ddim sbectol. Fedrwch *chi* weld o
Hiwi, tynnwch eich dwylo o'ch pocedi cariad.

(Y ddau yn sgwrsio, darllen y Radio Times)

JANE JONES : Methu'n glir â chau'r hen siop acw, hogan.

ELIN : Dowch, steddwch. *(Idwal a Dafydd yn sgwrsio am
y bib)*

JANE : Mae hi'n dawal acw 'radag yma fel arfar, ond am
mod i isio gweld Robat bach heno—fel'na gweli di hi,
ond chollwn i ddim gweld Robat. 'Rwyt ti'n jarffas
heno Elin. Hwda Dafydd, smoc bach. *(Taflu deg)*

DAFYDD : Diolch yn fawr Jane Jones.

MRS. HUWS : Oes gynnoch chi gyfar ar y T.V. Mrs. Owen?

JANE : I be sydd isio cyfar arni? Mae hi'n ddodrefnyn tlws
gynddeiriog.

MRS. HUWS : Naci, oes gynoch chi siwrans i chyfrio hi?
Mi fasa Hiwi Arnold yn medru eich fficsio chi.

ELIN : Dafydd sydd yn gofalu am betha felna. Dowch
bytwch rwan.

JANE : Pa bryd cawn ni weld Robat, Dafydd?

GWEN : Mewn llai na hannar awr.

JANE : Lle mae taid gin ti?

GWEN : Yn ei wely.

MRS. HUWS : Sut ma'ch tad 'rwan Mrs. Owen? Hen ŵr
neis, roeddwn i yn nabod o'n dda pan oedd o'n ffarmio
Garn Fawr. Mi fyddwn i'n cael mynd i'r gors i hel
llygeirion.

(Idwal yn sibrwd a Dafydd yn chwerthin dros y lle)

ELIN : Be harut ti hogyn?

DAFYDD : Idwal ddeudodd rwbath digri.

MRS. HUWS : Wyddwn i ddim y medra fo siarad.

DAFYDD : Chafodd o fawr o gyfla.

MRS. HUWS : Mi faswn i'n licio gweld eich tad a cael
sgwrs hefo fo, roeddan ni'n ffasiwn ffrindia yn toeddan
Hiwi? 'Roedd o mor neis, gwr bonheddig o'r iawn
ryw.

ELIN : Mae arna i ofn ei fod o'n cysgu 'rwan.

MRS. HUWS : Na, toeddan ni ddim yn meddwl i chi ei godi o. Mi ron i'n meddwl hwyrach basan ni wedi cyrraedd cyn iddo fo fynd i'w wely.

ELIN : Mae o'n mynd yn gynnar ychi.

MRS. HUWS : Rhaid i chi ddwad â llyfr neu ddau iddo fo Hiwi Arnold. Be fydd o'n ddarllan, Mrs. Owen?

ELIN : O mae' mhen i'n troi. Sboniada dwi'n meddwl. Mae o'n ddarllenwr trwm.

MRS. HUWS : Ydi o'n gysgwr trwm?

ELIN : Ydi, tan chwech. Ydi pawb wedi cael digon i fyta rwan?

IDWAL : *(Yn nodio â gwich uchel)* Do, diolch Mrs. Owen.

JANE : Tyn dy gap ngwas i, i mi gael gweld dy wynab di. *(Idwal yn cipio'r cap)*

ELIN : Rhaid i chi fadda i mi am risio fel hyn—'rydw i reit nerfys.

GWEN : 'Roedd pawb welson ni yn y dre pnawn yn deud eu bod nhw'n edrach ymlaen am weld Robat heno. Mae Jones reportar am ddwad yma 'fory medda fo.

ELIN : I be?

GWEN : I'ch gweld chi—mam Robat.

JANE : Un da ydi'r hen Jones. Rhaid i mi forol am chwanag o'r Utgorn yr wsnos nesa. Mi fydd dy lun yno fo Elin, gei di weld.

ELIN : Tybad? *(awyddus)* Gobeithio ceith Robat hwyl arni hi.

MRS. HUWS : Tasa'r hogyn yn ganwr neu adroddwr neu hyd yn oed yn fardd mi faswn yn gweld diban i'r wasg ddwad yma, ond codi pwysau . . .

DAFYDD : Mam, 'roeddach chi'n deud y cawn i danio'r injian pan fydda hi'n chwartar.

ELIN : Dwn i ddim be ddeudis i wir. 'Rydw i wedi hurtio'n lan.

DAFYDD : Mae hi wedi troi chwartar.

ELIN : Wel tro'r swits 'na ta, fedra i ddim gneud pob dim yn dy le di. 'Rydw i'n crefu—cymar ofal, sgriw detha ydi o. Pawb yn dawal. Dim un gair rwan i Robat gael chwara teg.

(Dafydd yn troi'r nobyn)

GWEN : Wêl o mono ni siwr.

ELIN : Taw, Sh. Tewch, tewch bawb.

DAFYDD : *(Yn ôl i'w gadair)* Mae hi'n cymryd rom bach i dwmo.

JANE : Tydi'r hen farig 'ma ddim help.

ELIN : Taw hogan.

> *(Distawrwydd am ychydig eiliadau a pawb yn syllu ar y set. Daw taid i mewn yn ei grys nos a'i gap). (Mrs. Huws yn gwichian waaaaa ac yn cofleidio Hiwi Arnold).*

GWEN : O mam. cerwch â fo i'w wely, mae o'n siwr o wneud rhwbath gwirion.

ELIN : Rwan nhad. *(Rhedag yn ôl ac ymlaen rhwng taid a'r set)* Ddoth o?

TAID : 'Rydw i heb damad na llymad ers amsar swpar, a mi 'rydach chi wedi dwyn fy mhapur newydd . . .

ELIN : Ddoth o? *(cip ar y T.V.)*

DAFYDD : Cerwch â taid i'w wely mam. Ddaw Robat ddim am un deng munud beth bynnag.

ELIN : Wyt ti'n siwr?

DAFYDD : Mae y Radio Times yn deud. Mae yna ddynas o Merthyr yn gneud cytia milgi, a dyn o Borth Cawl yn gneud tai hefo cregin duon, *wedyn* mae Robat.

TAID : Lle mae nghomic i? *(Gwen yn rhoi comic, Jane yn rhoi fferis i taid)*

ELIN : Taid, dowch taid. *(Dafydd yn troi'r nobiau)*

IDWAL : Oes yna sig yn dwad iddi?

DAFYDD : Oes mae 'na olau bach coch i weld tu mewn iddi.

JANE : Felly 'roedd y wireless acw—mud gyna i ddechra. Fuo hi ddim deng munud yn llosgi'n golsyn.

MRS. HUWS : 'Rydan ni am brynu set iawn, mae peth sal yn beth sal, mi fydda i yn deud bob amsar . . .

DAFYDD : Peidiwch â deud ta. *(Gwichian mawr o'r set)*

JANE : Terfysg Dafydd bach, terfysg.

ELIN : Ydi o wedi bod?

DAFYDD : Nagdi, fedra i gael dim ohoni hi.

ELIN : Tria stesion arall, mae 'na dair ar ddeg ohonyn nhw.

MRS. HUWS : Gadewch i Hiwi drio, fo fydd yn gneud popeth i mi—mae o wedi papuro'r lafatri yn ddigon o ryfeddod, mae o cystal ag unrhyw ddynas.

92

IDWAL : Ydach chi'n siwr fod yna sig yn dwad iddi?

GWEN : Wyt ti'n siwr Dafydd?

DAFYDD : Ydw siwr. Fasa 'na ddim gwichian ynddi hi onibai fod yna bower.

JANE : Hwda, cymar fy hancas i, i droi'r nobyn 'na. Dyro bwys reit dda arno fo.

MR. HUWS : *(Yn codi)* Peidio colli pen sydd yn bwysig, mi ddechreuwn ni o'r dechra. *(edrych i fyny)* Mae'r gola yn iawn *(wrth Dafydd)* Oes gynnoch chi power plug yma?

DAFYDD : Be gythral haru chi ddyn? Ydach chi'n meddwl mai oil lamp sy'n gyrru'n petha ni?

ELIN : Atab o Dafydd bach.

MR. HUWS : Oes yma hetar smwddio? Mi drycha i ydi hwnnw yn gweithio i ddechra, i mi gael gweld oes yma bower.

(Gwen yn rhedeg i nôl hetar)

JANE : Welis i ritsiwn beth erioed, mae'r cleiriach yma'n gwastraffu amsar yn fwriadol 'rydw i yn ei ama fo.

DAFYDD : Finna hefyd.

MRS. HUWS : Mae Hiwi Arnold yn electrisian first class . . .

JANE : Trwsia'r telefision 'na ta, os na fydd hi'n canu pen dau funud union, mi rhoi di ar draws fy nglin a mi chwipia i dy din di.

(Gwen yn dwad â hetar hen ffasiwn)

MR. HUWS : Da i ddim. *(Dafydd yn rhuthro a dwad ag un trydan)*

DAFYDD : Dyma chi, dwn i ddi mi be mae o'n da i chi 'chwaith. Brysiwch ddyn, 'chydig o funuda sgynon ni.

MR. HUWS : *(Yn cyplysu'r hetar a'i drio)* Mae'r power yma, aw, aw. *(Disgyn ar ei gefn ar lawr)*

MRS. HUWS. Be ddaru chi cariad. *(Rhedeg ato fo, hithau yn cael sioc).*

DAFYDD : Rhoswch. *(Elin yn bygwth rhedeg atynt)* Peidiwch â'u twtsiad nhw, mam, neu mi gewch chitha sioc, mi dynna ni'r plwg. Dyna chi.

(Mr. a Mrs. Huws yn codi' pennau)

DAFYDD : Sticiwch at y papuro Mrs. Huws.

ELIN : Dowch, steddwch. Ydach chi'n iawn? Mi gewch panad eto ar ôl i mi weld Robat.

GWEN : Os cawn ni weld o. Tydi hi ddim yn edrach y cawn ni weld dim.

JANE : 'Rhen derfysg yma ydi'r drwg i chi, 'roedd hi'n dreigio pan oeddwn i yn dwad.

DAFYDD : Na, mae yna rhyw ddrwg ar y set. Mae'r falfiau'n iawn, mi wela i ola ynddyn nhw.

ELIN : Oes yna rwbath eto fedri di neud iddi?

DAFYDD : Nag oes am wn i.

ELIN : Rhaid cael Mici Marconi i'w golwg hi.

GWEN : Chewch chi mo hwnnw adra heno o bob noson, mae o yn ei slotian hi'n braf yn y dre i chi.

JANE : Na wir, mi roedd 'na ola yn y gweithdy pan ôn i'n dwad.

DAFYDD : Rhed yno Gwen a gofyn iddo fo ddwad gynta medar o. Dwad wrtho fo fod Robat yn perfformio unrhyw funud 'rwan.

IDWAL : Mi ddo i hefo chdi. *(Y ddau yn mynd)*

ELIN : Ydach chi'n well 'rwan Mrs. Huws? O gobeithio y daw Macaroni yna yma yn o fuan. Wn i ddim be feddylith Robat ohono ni, criadur bach wedi mynd yr holl ffordd i Gaerdydd i actio, a ninnau yn ei golli o yn y diwadd.

DAFYDD : Be sanoch chi dwch. Mae pob set yn torri i lawr.

ELIN : Oedd rhaid iddi dorri heno a Robat wrthi hi. Tydi pawb a pob dim fel tasa fo'n fy nhrymentio fi. Taid yn codi, Gwen yn hwyr yn dwad adra, yr hogyn Idwal yn ista'n fama mor fud â iar dan badall, a 'rwan dyma'r hen set yma yn torri, tasa dy dad yn fyw . . .

JANE : Yli Elin tydi'r byd ddim ar ben, meddianna dy hun hogan, mi gei weld digon ar Robat yn codi pwysa eto. Mae o wrthi hi yn fama bob nos cyn mynd i'w wely medda chdi dy hun.

ELIN : 'Dwyt ti ddim yn dallt, Jane bach, tasa'r hen set yma yn gweithio mi gawn weld Robat fel mae pobol erill yn ei weld o.

JANE : Taw y lolan, run un yn union ydi Robat bod o yn codi pwysa yng Nghaerdydd ne yn y pentra yma.

Wyrach y cawn ni ei weld o eto tasa'r peth Marconi
'na yn dwad yn ei flaen.

ELIN : O'r tad, ydi raid iddo fo lusgo cymaint?

MRS. HUWS : Faswn i ddim yn cael tropyn o rwbath Mrs.
Owen, tydw i ddim hannar da. Taswn i adra, mi faswn
yn cymyd tropyn o sieri.

ELIN : Mae 'ma beth, y plant ddôth â fo o rwla noson cyn
Dolig. *(Dwad â'r botel, tywallt i Mrs. Huws).*

    (Gwen, Idwal a Macaroni yn cyrraedd)

ELIN : O diolch byth, Dafydd gwna le iddo fo.

MARCONI : A ha, iechyd da, ysbryd y Nadolig, wyllys da.
Helpwch eich hun Mr. Marconi. Nadolig llawen
(Yfed) a llawer ohonyn nhw. *(Tywallt eto a chymryd
cadair)*

ELIN : Dowch Mr. Marconi, mae hi wedi hen basio amsar
Robat.

DAFYDD : Ydach chi'n meddwl mai'r falf ydi'r drwg?

MR. MARCONI : Tydw i—Mr. Mical Marconi yn gosod un
dim llai na thiwb ar noson boxing night.

JANE : Gosod un 'rwan ta, mi dala i ar dy law di. *(Am ei
phwrs)*

MR. MARCONI : Digon o amsar Jane, mae'n dyfodol ni i
gyd o'n blaena ni. Gwrandwch arna i Elin Owen,
mae'r B.B.C. wedi cadw Robat i weitiad am hannar
diwrnod a 'rwan siawns na fedar y B.B.C. weitiad
wrtha i am hannar awr . . .

ELIN : Ond fedra nhw ddim gweitiad . . .

DAFYDD : Dowch at y set, perswadiwch *chi* o, Jane Jones.

JANE : Ia tyrd reit handi, y funud yma cyn iddi fynd yn rhy
hwyr.

MR. MARCONI : Ia cyn iddi hi fynd yn rhy hwyr. Gwran-
dwch arna i cyn iddi fynd yn rhy hwyr. Mae gin i air
i ddeud wrthach chi, anerchiad, pregath.

MRS. HUWS : Hiwi Arnold, cerwch chi â fo at y set. *(Mr.
Huws yn mynd â Mici, yn ei daflu hefo un llaw).*

MR. MARCONI : Gyfeillion gartra ac oddi cartra, ar dir ac
ar osod, bedi gelyn mawr y wlad 'ma heddiw? *(Hic)*
Nacw, telefision. Set deledu yn Saesneg. Dacw nhw,
cytia cwningod, boxes melltith, a *mae* nhw yn felltith :

1, Ar y aelwyd.
2. Ar y wlad.
3. Ac yn bennaf, mae nhw yn felltith arna i y dyn sydd yn eu gwerthu nhw, ac yn eu trwsio nhw.

Chadwa i monoch chi'n hir, 'rydw i am son ychydig bach am y trydydd pen.

DAFYDD : O, Jane Jones, cydiwch ynddo fo, gwnewch rwbath, tasa fo yn dwad 'rwan hyn, y munud yma, hwyrach y gwelswn ni Robat.

JANE : *(Yn codi ac yn cymryd ambarel Marconi, ei wthio fo i'w fol a'i hel at y set)* Rwan tyn dy gôt a dy grysbas, a torcha dy lewis. *(Marconi yn ufuddhau) (Yn rhoi ei drowsus yn ei socs)* Mae dy drowsus di yn iawn, tyrd.

MARCONI : *(Yn ysgwyd ei law)* Na, na, rwan medda chi pam mod i yn rhoi fy nhrywsus yn fy hosana— haleliwia, a'r atab yng ngeiria'r bardd ei hun, rhag ofn llygodan, mae rhain yn llawn o nythod llygod.

MRS. HUWS : Ydi o beidio bod wedi cael diod?

MARCONI : *(Yn chwerthin yn wallgo)* Stori ddigri'r flwyddyn, y jôc genedlaethol. "Ydi Mici Marconi wedi cael diod." Oedd Captain Webb yn sal môr, ydi Sterling Moss yn gyrru, oedd Dr. John Williams Bryn Siencyn yn aros yn y Siat? *(Pointio at Mr. Huws)* Ust, gwrandwch bobol, ylwch blant, daeth y perl o ben ein llyffant.

MRS. HUWS : Mae hwyl yn iawn yn ei le, Mrs. Owen, ond ddeuthon ni ddim yma i gael ein insultio.

ELIN : O'r tad, mi faswn i yn rhoi unrhyw beth tasa'r dyn 'ma'n trwsio'r petha.

MARCONI : Reit, tystion ohonoch chi, un dau tri pedwar pump, os ca i'r botal sieri 'na i gyd i mi fy hun, os ca i hi i fynd adra hefo mi, mi drwsia inna'ch set 'chitha.

ELIN : Reit, cewch, cewch, cewch.

MARCONI : A mi ddaw Gwen i fy nanfon i adra.

ELIN : Daw, daw.

IDWAL : Gwen !

MARCONI : A mi dalwch wrth reswm.

ELIN : Wrth reswm gwna i.

MARCONI : *(Wrthi o ddifri a lluchio falfiau hyd y llwyfan).*

96

Dafydd, dal gannwyll i mi, dal fel medra i weld, mae
'na llygoden bach wedi bod ynddi hi, mae hi wedi
drysu'r transfformer.

JANE : Llai o siarad a mwy o waith ne mi trans . . .

MARCONI : Mae hi wedi croesi'r weiars, waaa! *(Rhedag)*
Mi gwela i hi, llygoden fawr, mae hi'n swatio dan y
speaker.

DAFYDD : Peidiwch â rwdlian ddyn. *(Edrych i'r set)* Oes
mam, mae 'na glamp o llygoden, stynwch y refal dân i
mi, rhywun.

MARCONI : Tendia, mi rhuthrith di. Mae nhw yn gnafon
ffyrnig.

DAFYDD : Mae hon wedi marw. *(Dafydd yn ei thynnu allan
a'i dangos)*

ELIN : Dos â hi allan, Dafydd. *(Dafydd yn mynd)*

MRS. HUWS : Ych, ia.

MR. HUWS : Methu dallt 'rydw i sut 'roedd y set yn
gwichian a llygoden wedi cnoi y weiars.

MARCONI : Y llygoden oedd yn gwichian dan y sioc.

JANE : Waeth i chi heb am y pam a sut, ei chael hi i
weithio sydd yn bwysig. Wyt ti'n nabod Robat 'ma—
mae o cyn gryfad â dau ddyn, os na styri di mi ddeuda
i dipyn o dy hanas di wrtho fo. Tasa fo yn meddwl am
funud dy fod ti yn pryfocio ei fam o, mi wasga'r owns
ddwytha o wynt ohonat ti.

ELIN : O'r tad, mi liciwn weld Robat bach.

JANE : Tria sylweddoli fod gweld Robat ei mab yn codi
pwysa ar hon heno yn golygu pob dim i Elin Owen.

MARCONI : Aha, mae'r sylw yma yn dwad â fi at yr ail ben.
Set deledu yn felltith yn y cartra ac ar yr aelwyd ac
ar y fam. *(Pwyntio)*

GWEN : O mam, be wnawn ni? Mae o yn dechra eto . . .

(Jane yn ei daro ar ei ben hefo ambarel)

MARCONI : Aha, chaiff proffwyd ddim anrhydadd yn ei
waith ei hun.

JANE : Trwsio'r telefision ydi dy waith di, tyrd yn dy flaen.

MARCONI : Rhaid i mi fynd ymlaen hefo'r ail ben. Mae Elin
Owen y fam isio gweld Robat y mab yn codi pwysau
ar y telefision. Mae hi wedi gweld Robat lawar gwaith,

a mae hi wedi ei weld o yn codi pwysa ddega o weithia, yn fama, yn y gegin yma.

PAWB : O! O! O!

MARCONI : Ond *(yn codi ei lais)* mae hi isio ei weld o eto heno *am* ei fod ar hon. Dyna i chi adnod, diharab newydd spon. "Duw'r cymro yw ei set deledu." Ffasiwn heddiw ydi rhoi lluniau'r teulu ar y telefision, y ffasiwn ddoe oedd eu rhoi nhw ar y piano.

MRS. HUWS : Rhaid deud ei fod o'n deud llawar o wir, Mrs. Owen.

ELIN : O, tewch da chi, nid chwilio am y gwirionadd rydan ni. Isio llun Robat sarna i, ngwas del i, wedi ymladd trwy storm o eira hwyrach . . .

DAFYDD : *(Yn pwyntio at y set)* Robat, mi welis i gip ar ei wynab o mam, do wir.

ELIN : Yn ble ngwas i?

DAFYDD : *(A'i fys ar y scrîn)* Yn fama.

(Elin yn symud ei stôl ac yn eistedd â'i thrwyn ar y scrin)

ELIN : Oedd hynny'n bosib, Mr. Marconi?

MARCONI : Mi fydd yn haws i mi ddeud wrthach chi wedi i mi orffan sgriwio'r tiwb 'ma.

DAFYDD : Ydach chi yn rhoi tiwb newydd ynddi hi?

MARCONI : Ydw.

JANE : Yr hen lymbar, mi fasa pats ar yr hen un wedi gneud tro yn iawn.

MARCONI : Nid tiwb beic ydi o, hwda. *(Rhoi'r hen diwb i Jane)* dyna i ti rolin pin. *(Jane yn ei drawo fo hefo fo ar ei ben)* Dyna'r tâl mae crefftwr da yn ei gael, dyna hi, mi triwn ni hi 'rwan. *(Trio y swits, a gweld y botal)* Sieri! *(Tywallt)*

Chwarae record—WE VERY MUCH REGRET THE UNFORTUNATE BREAK IN TRANSMISSION DURING OUR CELEBRITY PROGRAMME. THIS WAS DUE TO A TECHNICAL FAULT BEYOND OUR CONTROL, AND THE PROGRAMME IS NOW ABANDONED. WE APOLOGISE TO OUR VIEWERS AND NOW WE

WILL HAVE A PROGRAMME OF GRAMO-
PHONE RECORDS.

(Effaith y cyhoeddiad—pawb yn ddistaw)

ELIN : *(Yn crio â hancas wrth ei thrwyn. Troi i wynebu'r
bobol).*

DAFYDD : *(A'i ben yn ei ddwylo)*

GWEN : *(Yn gafael am ei mam)*

IDWAL : *(Yn troi ei gap)*

MR. HUWS : *(Yn curo'i liniau hefo ei ddwylo)*

MRS. HUWS : *(Yn powdro)*

JANE : *(Yn rhythu'n filan ar Marconi)*

MARCONI : *(Ar ei draed)* Mae'n ddrwg gin inna am eich
profedigaeth chi, Mrs. Owen, os nag ydi hi yn tŷ ni,
mae hi yn tŷ nesa *(Troi rownd a bownd)*. Y mae'r set
yma yn iawn 'rwan, Mrs. Owen—pum gini os gwelwch
chi'n dda.

ELIN : *(Yn codi i nôl arian i'r drôr a mynd i roi punnoedd
yn llaw Marconi)*

JANE : *(Yn rhuthro rhyngddynt)* Elin, hogan, wyt ti'n
drysu? Paid â rhoi'r un ddima iddo fo. *(Dynwared)*
"Mae'r set yn iawn 'rwan, Mrs. Owen." Ydi siwr, a
mi oedd hi'n iawn cynt. Mae hi wedi bod yn iawn ar
hyd yr adag. Chlwsoch chi mo'r Sais 'na'n deud, "We
are sorry, very terrible" medda'r criadur, a phwy
wydda yn well na'r twmpath yna ei bod hi'n iawn.
Dos o ngolwg i. *(Ei ddanfon tua'r drws hefo'r ambarel
a lluchio ei bethau ar ei ôl).*

MRS. HUWS : *(Yn codi)* Diolch i chi drostan ni Mrs. Owen,
'roedd y bwyd reit flasus, nos dawch. *(Hiwi Arnold yn
ei dilyn)*

IDWAL : Well i ninna fynd. Diolch i chi drostan ni, nos
dawch. *(Gwen yn ei hebrwng i'r drws ac yn dwad yn
ei hol ar ei hunion. Dafydd a Gwen o bobtu eu mam
yn ei chysuro)*

JANE : Mae gin i rwbath bach spesial i chi yn y lobi, ton i
ddim am ei ddangos o i bawb.

LLEN

Y GADAIR OLWYN

Cymeriadau:

Taid *(hen ŵr yn glaf yn ei gadair olwyn)*
Elin Ifans *(ei ferch)*
Gwen *(ei merch hithau)*
Ifan (athro ysgol sy'n aros yn y tŷ)
William Huws (cymydog)
Doctor

Amser : *Gyda'r nos.*

*(Yr hen ŵr yn ei gadair olwyn yn mwmian.
Ifan yn marcio gwaith plant yr ysgol. Gwen
yn eistedd ar lawr yn chwarae "tidliwincs").*

TAID : Mwm! Mwm, Mwm, M M M. *(Am funud cyfan)*
IFAN : *(Yn codi ei ben)* Twll dan grisia?
GWEN : O ia. Cladda fo yno.

*(Ifan yn powlio yr hen ŵr o'r neilltu a Gwen yn
mynd i'w bapurau.)*

IFAN : *(dychwelyd)* Dyna daw ar hwnna, mae o fel dyrnwr.
Mae ei swn o yn fy mhen i nos a dydd rownd y ril.
Sut bydd William Huws yn deud wrth dy fam.
GWEN : *(Dynwared)* Dwn i ddim sut 'rydach chi'n medru
diodde'r hen swnyn diawl Musus Ifans. Mae o fel
cacwn mewn pot jam. Be sgin ti? Stori?
IFAN : Ia. "Ein Tŷ Ni."
GWEN : Dewis y testun ddaru nhw?
IFAN : Naci siwr fi dewisodd o. Ffordd handi i gael hanes
eu cartrefi nhw.
GWEN : Paid *ti* a sgwennu am Tŷ Ni beth bynnag wnei di.
IFAN : Darllen hi.
GWEN : Tydwi i'n darllen.
IFAN : Darllen hi'n uchel tra bydda'i yn cael pum munud.

(Eistedd, smocio, a gwrando)

101

GWEN : Does yna fawr o ffrwt yna i wir. Mae'r dyn ma bron
wedi fy lladd i heddiw. "Mwm M M M M" o fora tan
nos. Mi fydda i wedi orffan o un o'r dyddia ma. Mi
faswn i wedi ladd o ers talwm oni bai am Mam.

IFAN : Mae gen i dy ofn di. Darllen.

GWEN : *(Yn darllen)* Y mae ein tŷ ni reit ar ochr y ffordd
fawr pan fydd traffic mawr yn yr Haf. Y mae ein tŷ
ni wedi cael ei chwipio hefo cerrig mân. Bydd Mam yn
fy chwipio i pan fydd Twm fy mrawd bach yn cau
deud i bader.

IFAN : Hogyn y Becws ydi hwnna. Mae o gyda'r rhyfedda
sydd yn yr ysgol acw.

GWEN : Y mae pump ffenast yn ffrynt tŷ ni, tair ffenast
llofft a dwy ffenast i lawr, a un drws ffrynt yn agor at
allan dwi'n meddwl. Mae'r bysus yn stopio reit o flaen
tŷ ni, ac yn ail gychwyn ar ôl i'r gloch ganu. Rydwi
yn medru gweld i dop y dybldecar o fy llofft i. Tŷ da
ydi tŷ ni ynte. Yn y set flaen yn y top bydd dyn bach
het galad yn ista bob amsar. Wy fydd o'n gael i frec-
wast bob dydd Iau am bod na ring felan rownd i geg o.
Fydd o ddim yn cael brecwast bob diwrnod arall dwi'n
meddwl. Yn y gegin mae Taid yn byw, cheith o ddim
dwad i parlwr am i fod o yn poeri sig baco am ben y
Telifision. Mae taid yn deud fod y telefision gystal â
wireless ar ôl iddo fo gau llygada, Gwr Nain ydi Taid.
Mae Nain wedi mynd i'r nefoedd ers talwm dwi'n
meddwl. Difai lle iddi medda Taid. Hefo llwy bren
mae Taid yn byta. Mi fydd Anti Jane yn galw yn tŷ
ni weithia. Mae gin Anti Jane lot o bres a mae gin
Anti Jane jiwals yn ei chlystia a'i chot. Pan mae hi'n
cerddad mae hi yn gneud twrw run fath â lyri jinji
biar. Oes gynnoch chi Anti Jane? Mae gin Twm ni
lyrri. Bob tro mae Taid a Mam yn ffraeo, Mam bia'r
dresal a Taid bia'r Cloc larwn. *(Rhoi'r copi llyfr yn ôl
i Ifan)* Ydi'r plant i gyd yn sgwennu felna.

IFAN : Nag ydyn. Rhy debyg i'w gilydd ydi'r lleill. Deud
sawl stafell sy'n y tŷ, a sawl aelod sy'n y teulu, a pha
bryd mae nhw yn cychwyn i'r ysgol ag ati.

GWEN : Taswn i yn medru meddwl mor glir a phlentyn o
dy ysgol di, mi faswn i yn sgwennu nofel.

IFAN : Pam na wnei di, mae gen ti ddigon o ddeunydd. Tasa ti ddim ond yn sgwennu dy hanes pan oeddat ti yn nyrsio yn Lerpwl mi wnae nofel golew. Dy hanes di'n caru hefo'r Saeson.

GWEN : Fedar Saeson ddim caru.

IFAN : Pam.

GWEN : Mae nhw yn rhy siaradus yn un peth. Isio sgwennu stori wir sydd arna i, stori amdana i fy hun. Ple baswn i yn dechra dywed?

IFAN : Mynd yn ôl gyn belled a medri di gofio siwr. Dechra yn y dechrau.

GWEN : Ia debig. Ganwyd fi Gwen Eira Ifans ar yr ail o Dachwedd. Twt mae hwnna'n swnio'n debycach i wasanaeth priodas.

IFAN : Diolch am y swn ddeuda i. Mae'n priodas ni yn mynd yn bellach, bellach . . .

GWEN : Tria ddiodde ron bach eto, mae rhwbeth yn deud wrtha i na fydd yr hen ddyn yma fyw fawr eto. Mi gei di weld bydd o wedi marw cyn Dolig.

IFAN : Roedd o fod i farw Dolig dwaetha a'r Dolig cynt.

GWEN : Mi ofala i bydd o'n mynd leni . . .

IFAN : Gobeithio wir. Be ti'n feddwl . . . mi ofala i . . .

GWEN : Dim byd ond hyn. Os na fydd Robat Ifans tad fy nhad a nhaid inna wedi dewis mynd i gadw cyn diwedd y flwyddyn hon, mi fydda i Gwen Eira Ifans yn ei orffen o, yn ei ddarfod o. *(Codi a thynnu ei bys ar draws ei gwddw)*

IFAN : Fentret ti byth.

GWEN : Rhaid i rywun fentro. Mae pawb, pawb ond Mam yn casau'r hen styllan. Rwyt ti, rydw inna, William drws nesa, a mi wyddost be' mae Doctor Gruffydd wedi ddeud amdano fo.

IFAN : Doctor Gruffydd. Tydi hwnnw'n deud dim. "Mi eill fynd fory ichi a mi eill ddal am dair neu bedair blynedd." Mewn geiriau erill weli di a finna ddim priodi tu yma i Sul pys.

GWEN : Gwelwn o gwelwn. Mi elli fentro mynd i chwilio am siwt. Ia nofel sgwenna i dwi'n meddwl. Un dda fydd hi hefyd.

IFAN : A'r bennod ddwaetha'n codi arswyd. "Y crocbren."

GWEN : Ia, dyna chdi wedi gweld hi. Rhoi enw i bob pennod, dyna'r ffordd.

IFAN : *(Yn marcio)* Pennod Gyntaf. "Bore Oes."

GWEN : Mi wnai'r tro, er fod o'n swnio braidd yn debyg i Drysorfa'r Plant.

IFAN : Fasa'n well imi ollwng y llew o'i ffau?

GWEN : Ia rhag ofn i Mam gyrraedd. Mi lladda fi tasa hi'n gwbod ein bod ni'n ei gau o'n fanna yn y twll tan grisiau.

IFAN : *(yn powlio Taid i mewn a'i roi i wynebu'r gynulleidfa)*

TAID : Mwm, Mwm M M M M M M

GWEN : Mae hi'n glir yn fy meddwl i rwan.

IFAN : Be.

GWEN : Fy stori i. Nofal i. Nofel newydd gan Gwen Eira Ifans, Pris Deg a Chwech.

IFAN : Nofel â mynd ynddi hi, edrychwn ymlaen am y nesaf, Yr Utgorn.

GWEN : Nofel newydd, nofel sy'n cydio. Gŵyr Miss Evans rywbath am y profiad o fyw. Y Drych.

IFAN : Camgymeriad yn fy marn i oedd tagu Taid yn y benod olaf. Sylwedydd.

GWEN : *(Taid yn dal i fwmian a Gwen yn ei droi i wynebu cefn y llwyfan)* Dos â fo o'r neilltu, Ifan, wnei di? *(Ifan yn symud Taid)* Pennod 2. "Mynd i Nyrsio."

IFAN : Y bennod ora yn y llyfr.

GWEN : 3. Dychwelyd i Gymru.

IFAN : Pennod sur.

GWEN : Na. Toeddwn i ddim yn malio ar y pryd. Dwad adra ron i wedi'r cwbl, a mi roedd nacw *(Taid)* ron bach haws i'w ddiodda radag honno.

IFAN : Ar ôl dwad yma penderfynodd o roi y tŷ i ti.

GWEN : Ia, rhyw fath o iawn i mi am adael fy ngwaith a dwad i dendio arno fo.

IFAN : Mae fframiau'r ffenestri'n dechra pydru, mi alwis i heibio wrth ddwad o'r ysgol. Rhaid i mi roi brwsiad iddo fo os ydan ni'n meddwl am fynd yno i fyw rywdro.

GWEN : Wyt ti yn meddwl cawn ni blant?

IFAN : Cawn. Mi anfona i lythyr i Santa Clos.

GWEN : Tydwi wedi gwirioni hefo'r llofft fach sy'n y cefn. Mi welis i bapur wal a llun cwningod bach arno fo'n dre ddoe.

IFAN : Wyddwn i ddim dy fod ti wedi bod yn y dre ddoe.

GWEN : Picio rhwng dau fys i nol ffisig iddo fo. Rydwi'n destun sbort i'r hogan na, "Pa liw gymerwch chwi heddiw Miss Ifans, un piws ta un coch fflamgoch?

(Taid yn rhoi ebwch uwch na'r lleill)

IFAN : Pasa ti'n dwad â powdr du i roi o dano fo.

GWEN : Ia. Tydwi wedi dwad i nabod ei nadau fo'n iawn rwan. Isio bwyd mae o tro yma, fasa fawr i ti daro crystyn yn ei geg o.

IFAN : Mi rhoi o yn ei wddw fo os leci di. *(Dal y crystyn i Taid i'w fwyta)* Diolch am funud o ddistawrwydd.

GWEN : Yn Ysgol Sul Bethel rydwi rwan.

IFAN : Wyt ti'n cael croeso ar ôl yr holl flynyddoedd. "Mae'n dda gynno ni weld Miss Ifans wedi troi i mewn atom ni."

GWEN : Y tawelwch sydd yma ar ôl i Taid dewi, a'r distawrwydd oedd yn Bethel ar ôl i'r Arolygwr ganu'r gloch. Ron i'n beth bach ddel radag honno.

IFAN : Rhyfedd fel rydan ni yn newid hefo'r blynddoedd.

GWEN : *(Yn taflu clustog ato fo)* Rwyt ti yn bwriadu mhriodi fi yn dwyt? Mi fydda i'n ama weithia.

IFAN : Fi ddylia ofyn i ti. Pam na roi di glec ar dy fawd a dwad i fyw i'r tŷ na sgin ti'n rhynnu ar yr allt na.

GWEN : Mi wyddost yn iawn na fiw imi adael Mam ei hun hefo Taid.

IFAN : Dwn i ar y ddaear pam. Mae un yn ddigon i'w fwydo fo. Un porthwr fydda gynno ni adra yn tendio ar bymtheg o bennau, a welaist ti ddim tlysach lot o wartheg.

GWEN : Mae dynion i gyd run fath. Yli mi ddylet wybod na fedar Mam mo'i roi o yn ei wely na'i godi ohono ei hun, ac mi rydan ni'n gorfod ei godi o laweroedd o weithiau yn ystod y nos. Rydan ni'n gorfod gneud pob swydd iddo fo. Mae golchi ei ddillad o yn waith amser llawn.

IFAN : Be mae o yn ei wneud i faeddu.

GWEN : Mi synnat. Peth arall mae Doctor Gruffydd wedi deud ar ei ben fod o'n ormod i Mam. Fedar hi byth ddal.

IFAN : Mae o yn ormod i bawb. Mae o yn ormod i minnau hefyd. Mae o yn dweud ar fy nerfau i. Rydwi'n flin hefo fi fy hun a'r plant yn yr Ysgol. Mi rois glustan i Bobi Becws bore ma ddwaetha'n byd a mae hwnnw y gora sgin i.

GWEN : Beth wnath o?

IFAN : Deud bod Ann Gryffis yn dinboeth.

GWEN : Oedd hi?

IFAN : Be wn i. A pha ots os oedd hi. Mae'n gas gin i emynau ac emynwyr.

GWEN : Sais ddylet ti fod.

IFAN : Mae'n gasach fyth gin i Saeson.

GWEN : Welist ti fawr o Saeson.

IFAN : Mae na bron gymaint o Saeson ag sydd yma o Gymry yn y pentre yma.

GWEN : Mae Doctor Gruffydd newydd wrthod gwerthu ei dŷ i Sais rwan.

IFAN : Sut gwyddost ti?

GWEN : Fo'i hun ddeudodd wrtha i.

IFAN : A mi ofynnodd am dy farn di mae'n debig.

GWEN : Naddo. Mi ofynnodd i mi ei briodi o.

IFAN : Be.

GWEN : Wel mi ddeudodd ei fod o yn ei chael hi'n anodd byw yn y tŷ mawr na ei hun. Methu cael dynes i llnau na dim.

IFAN : Pam na fasat ti yn deud wrtho fo am brynu Hoover. Wnest ti ddim gaddo ei briodi o debig.

GWEN : Naddo'r gwirion.

IFAN : Diolch byth.

GWEN : Wyddost ti be wnes i. Tyrd yma mi ddangosa i iti *(Ifan yn mynd)* Mi drois y switch "dan deimlad" i'r pen. Mi edrychis ym myw ei lygad. "Doctor fedra i ddim priodi tra bydd Taid yn fyw"

(Cusan ar ei dalcen)

IFAN : Roist ti gusan iddo fonta hefyd?

GWEN : Do.

IFAN : Cythral o hogan wyt ti.

GWEN : Mi fyddai i yn lecio ogla Doctor. Fyddi di?

IFAN : Na fydda. Fydda i ddim.

GWEN : Mae'n *well* gin inna ogla chalk.

IFAN : Rwyt ti yn medru bod yn beth wirion.

GWEN : Rydwi'n medru bod yn beth gall weithiau. Gwrando mi fyddwn ni'n ŵr a gwraig yn byw yn ein tŷ bach ein hunain ynghynt na meddyliet ti.

IFAN : Gobeithio wir.

GWEN : Byddwn. Mi fydda i'n wraig cyn pen y mis hwyrach.. Mi fydd yn braf cael ateb drosof fy hun lle bod Mam yn torri ar fy nhraws i bob tro. *(Cloch y drws ffrynt yn canu)* Helo Mrs. Roberts ddowch chi ddim i mewn. Na ddowch . . . O gwerthu ticedi. At be mae'r elw. Cartre'r hen bobol . . . Hanner coron. Sgynnoch chi run deunaw. Galwch pan fydd y gŵr adra. Ia ydi very nice cofiwch. Ta ta cariad. Tendiwch yr hen doman na. *(Dychwelyd o'r drws)* Pa deisen ga'i neud iti hefo dy de cyntaf un yn y tŷ newydd.

IFAN : Paid â gneud un run fath â honno wnest ti i dy ewyrth Dic, fyta'r ci mo honno. Be gawn i yn enw ar y tŷ newydd?

(Taid yn rhoi ebwch)

GWEN : Cae'r Ebwch. Does yna ddim llawer o'i le ar yr hen enw chwaith. Mae Tan Ffolt yn ddifai.

IFAN : Wyt ti yn lecio ogla mochyn hefyd?

(Daw'r Doctor i mewn)

DOCTOR : Mae hi wedi oeri.

GWEN : Mi a i i wneud paned i chi rwan.

DOCTOR : Naci mi . . .

GWEN : Ia dau funud fydda i.

DOCTOR : Ple mae Mrs. Ifans heno?

IFAN : Wedi mynd i'r ddrama.

DOCTOR : Peth go newydd yn ei hanes hi. Dal rhywbeth yn debig mae o?

IFAN : Ia. Mae o yn cysgu rwan. Mi gawsom noson ddrwg hefo fo neithiwr.

DOCTOR : Gweiddi roedd o?

107

IFAN : Ia, a gneud yr hen dwrw gwirion na yn ddiddiwadd.

DOCTOR : Mi fuo Musus Ifans yn lwcus eich cael chi yma, a tydi hi ddim llawn mor gaeth ar Miss Ifans ma rwan.

IFAN : Ydach chi'n ystyried Robat Ifans yma yn ddyn gwael?

DOCTOR : Ydw a nagydw.

IFAN : Ydach chi?

DOCTOR : Fasa chi'n lecio cael barn doctor arall.

IFAN : Gofyn eich barn chi rydwi i. Mi wn i ei fod o'n niwsans, yn dreth ar feddwl pawb, yn deud ar ein nerfau ni. Fedrwn ni ddim sgwrsio yn y lle ma nes bydd o yn ei wely, a'r funud bydd ei ben o ar y gobennydd mae o'n gweiddi nes tynnu'r tŷ i lawr. Mi waeddodd am dair awr union neithiwr.

DOCTOR : Mae'n ddrwg calon gen i drosoch chi.

IFAN : Tydwi'n ame dim, ond ydi o'n ddyn gwael, ydio mewn poen. O O O O felna roedd o'n gweiddi neithiwr. Ron i yn breuddwydio bod Llew'r Dyrnwr yn curo matiau ar fy mol i.

DOCTOR : Digri iawn.

IFAN : Tydwi i ddim yn trio bod yn ddigri Doctor. Os na thendiwch chi, mi fyddwch wedi'n claddu ni'n tri o flaen hwn. Ydi o yn ddyn gwael, dyna ofynnis i chi.

DOCTOR : Mae hi mor anodd deud. Dyn hunanol iawn fuo fo rioed. Rydach chi'n dallt hynny.

IFAN : Ydw cerwch ymlaen.

DOCTOR : Stimia, dyna i chi ydi tri chwarter ei salwch o. Mi cymerodd Mrs. Ifans o yma pan dorrodd o ei goes, a mi welodd mewn munud ei fod o yn cael lle da yma. Fuo hi erioed cystal arno fo. Musus Ifans yn cyrraedd ac yn estyn popeth iddo fo. Roedd ei goes o'n gwella'n dda. Yn rhy dda gan Robat Ifans. Roedd o'n gweld ei hun yn cael llai o sylw. Radeg honno mynnodd o gael y gadair olwyn na. Camgymeriad mawr yn fy marn i. Mae hyn yn swnio'n wirion i chi hwyrach, ond mae o yn hollol wir. Fel roedd Robat Ifans yn gwella roedd o yn gwaelu, hynny yw pan ddyla fo fedru tendio arno'i hun roedd o yn galw am fwy o sylw nag erioed.

IFAN : A phan welodd o na chae o ddim mwy o sylw?

108

DOCTOR : Mi aeth y peth ar ei feddwl o. Mi fuo'r twrw gwirion 'ma mae o yn neud rwan yn frawddegau a synnwyr ynddyn nhw ar y dechra. Wrth ddal i swnian o hyd ag o hyd mi aeth y geiriau'n swn.

IFAN : A swn drwg coeliwch fi.

DOCTOR : Mae o yn gês ddigon trist.

IFAN : Ydi. Ydi mae'n debig i fod o.

DOCTOR : Mae o yn gry iawn ar un wedd, mi eill ddal yn hir.

IFAN : A does yna ddim fedrwn ni ei wneud bellach ond diodde.

DOCTOR : Cofiwch droi'r tu min ato fo bob cyfle gewch chi.

IFAN : Mae o wedi cael y llaw uchaf arnom ni ers talwm. Sut yr ydach chi'n dal allan ei fod o'n berig i'w adael ei hun. Mi ddedsoch droeon na ddyle Musus Ifans ddim bod yma heb help.

DOCTOR : Fedrwch chi byth ddeud hefo'r teip yma. Mi allan wallgofi yn sydyn sydyn. Rydwi wedi gweld rhai felly. Dyna eu diwedd nhw fel rheol. Mae nhw yn cael nerth dau neu dri o ddynion am ychydig eiliadau, yna mae'n nhw'n diffodd fel cannwyll.

(Gwen yn dod â the ar hambwrdd)

GWEN : Dyma ni, paned yn barod.

IFAN : O'r diwedd. Mi ddyla hwn fod yn de da.

GWEN : Tydio ddim.

IFAN : Pam.

GWEN : Coffi ydi o. Rwan dowch, tair llwyad o siwgwr. *(Yfed)* Am be buoch chi'n sgwrsio tra bum i o ma.

DOCTOR : Siarad siop buo ni.

GWEN : Ifan yn eich byddaru chi hefo hanes yr ysgol.

DOCTOR : Naci wir.

IFAN : Am hwn. Yr un a'r unig beth pwysig sy'n y tŷ ma.

GWEN : Gadwch iddo fo tra bydd o yn cysgu. Deudwch stori Ned Llongwr. Chlywodd Ifan mo honno.

DOCTOR : Doedd na fawr o stori ohoni am wn i. Galw yno daru mi pan gafodd o'r Ffliw dwaetha ma. Peth cynta wnaeth o oedd gyrru hogan bach y ferch acw hefo nodyn imi. Mae o gin i yn rhywle. *(Chwilio)* "Gair

bach i ofyn i chi anfon potal o Quinain imi hefo
Betsan. Quinain hen ffasiwn. Yr eiddoch yn gywir
Edward Robaits (First Mate)."

IFAN : Ddaru chi roi Quinain iddo fo.

DOCTOR : Naddo. Mi es i yno pan fedris i. Mi rois fy mhen
trwy ddrws y siambar a dyna welwn i. Par o slipars
cochion am draed. Ned un pob pen i'r gobennydd. Mi
godis ddillad y gwely, a dyna lle roedd ei ben o yn y
traed, a'i gap am ei ben os gwelwch chi'n dda. Roedd
o yn siarad fel melin. "Ddoist ti â'r Quinain?" "Be
mae'ch pen chi'n da yn y traed" medda fi. "Picio i weld
yr hogia i'r fforcias ddaru mi." Dyna ges i yn ateb.
"Fasa ddim gwell i mi'ch troi chi a rhoi eich pen chi ar
y cobennydd." "Tyrd â'r gobennydd i'r Storn," a dyna
wnes i. Mi symudis y gobennydd i'r traed a rhoi ei ben
o arni hi, a mi rois ddwy bilsen iddo fo. Pan o'n i yn
ddrws y siambar dyma Dic yn codi fel powltan yn ei
wely ac yn gweiddi. "Aros rwyt ti yn dallt yn dwyt."
"Dallt be" medda fi. "Nid methu pasio'n Gapten wnes
i cofia, o naci roedd fy syms i'n iawn ond mod i ddwy
filltir yn y tir lle yn y mor."

GWEN : Un diddan ydi o. Piti na fasa hwn *(Taid)* rywbeth
yn debyg iddo fo.

DOCTOR : Well i mi gael golwg arno fo dwi'n meddwl.

(Doctor yn cornio)

GWEN : Ron i'n gweld yn y papur heddiw eu bod nhw'n trio
cael hawl i ddoctoriaid orffen y claf os bydd galw.

IFAN : Ei orffen o?

DOCTOR : Ia pigiad bach.

GWEN : Roisoch chi bigiad i rywun rywdro?

DOCTOR : Ddaru mi rioed orffen neb, ddaru mi ddim yn
fwriadol. Rydw wedi newid ei dabledi o heno. Mi ro
i ddwy iddo fo rwan a mi ddylech weld y gwahaniaeth
ynddo fo. Mi wnaiff rhein ei dawelu fo. *(Eu rhoi—Taid
yn ymledu)* Rhowch ddwy iddo fo eto bore fory tua
wyth.

GWEN : Sut rydach chi'n ei weld o heno.

DOCTOR : Mae na newid ynddo fo yn sicr.

IFAN : Er gwell?

DOCTOR : Er gwaeth.

GWEN : Ia wir. Ta deud i'n cysuro ni rydach chi.

DOCTOR : Na mae o siwr o fod yn gwanhau.

IFAN : Ond mi eill ddal yn hir eto?

DOCTOR : Anodd sobor ydi deud, mi gawn weld.

GWEN : Cawn.

(Doctor yn mynd)

GWEN : Galwch eto reit fuan. Peidiwch ag aros i mi alw amdanoch chi.

DOCTOR : Wna i ddim. Diolch yn fawr am y coffi.

(Daw Elin Ifans i mewn)

ELIN : Oeddach chi'n meddwl mod i wedi'ch gadael chi am byth. Roedd na ddwsin eisio swper ar y diwedd.

DOCTOR : Rydach chi'n gall iawn, isio i chi fynd yn amlach sy. Drama oedd gynnoch chi.

ELIN : Ia "Cwymp y Trafaeliwr" gan gwmni enwog Hirdre. Roeddan nhw yn ardderchog.

DOCTOR : Go dda.

ELIN : Mi ddaru £15 yn glir. Sut dach chi'n gweld Taid heno.

DOCTOR : Mae o'n gwanhau Musus Ifans.

ELIN : O tewch, oes na rwbath fedrwn ni roi iddo fo.

DOCTOR : Rydw i wedi newid ei dabledi o. Mi gewch weld sut bydd rhain yn dygymod hefo fo. Wel wir rhaid imi fynd.

ELIN : Dewch chi ddim heb swper.

DOCTOR : Rydwi i wedi cael paned diolch yn fawr. Wel nos dawch. A pheidiwch bod ofn galw amdanai nos neu dydd.

ELIN : Nos dawch a diolch yn fawr ichi Doctor. *(wrth Gwen)* Mae Doctor Gruffydd wedi bod yn dda i ni. Anghofia i byth mono fo hefo dy dad, a does dim yn ormod ganddo fo ei wneud i Taid. Dwi'n siwr dowch chi hefo mi i'w roi o yn ei wely Ifan. *(Elin yn mynd hefo potel ddwr poeth)*

GWEN : Cwmni enwog Hirdre. Be sy'n gneud cwmni drama yn enwog, Ifan.

ELIN : Pe gwelet ti byta ddaru nhw ar y diwedd.

(Mynd â Taid i'w wely yn y gadair, troi ddwy waith neu dair rownd y lle)

*(Ifan yn rhoi mwg wrth draed Taid yn y gadair. Cap
yn isel am ben Taid. Meimio hel at y gei. Curo dau
neu dri o ddrysau dychmygol. Dod at Gwen)*

IFAN : Fuasech chi yn lecio rhoi ceiniog at y Gei. Gei
Ffôcs.

*(Gwen yn taflu ceiniog ac Ifan yn cymeryd wib rownd
y bwrdd a phowlio Taid i' wely. Gwen yn eistedd yn
ffrynt y llwyfan yn troi dalennau llyfr patrymau papur
wal, a daw William Huws drws nesa i mewn)*

WILLIAM : Gafodd dy fam i chario adra?

GWEN : Naddo.

WILLIAM : Cerdded ddaru hi.

GWEN : Beic.

WILLIAM : *(ysbaid)* O meddwl mod i'n clywed swn car
ddaru mi gynna.

GWEN : O ia.

WILLIAM : Oedd ma gar?

GWEN : Oedd.

WILLIAM : Be ti'n deud mai cerddred wnaeth dy fam.

GWEN : Cerdded wnaeth hi.

WILLIAM : Fuo ma ddim car felly.

GWEN : Car Doctor Gruffydd glywsoch chi.

WILLIAM : Daria las ia siwr. Sut roedd o'n gweld yr hen
Robat 'ma *medda fo?*

GWEN : Tydi o ddim cystal heno, ama i galon o.

WILLIAM : Does dim angen Doctor i ddeud hynny rydwi
wedi ama i galon o ar hyd fy oes. Ama oes genddo fo
galon taswn i'n deud yn iawn. Mae dy fam yn chael
hi hefo fo. Wyt ti'n meddwl fod gin Ifan sigaret i
werthu.

GWEN : Nag oes.

(Rhoi sigaret o'i phaced ei hun)

WILLIAM : *(yn cadw'i sigaret)* Be ti'n ddarllen?

GWEN : Patrymau papur wal, pa un fasech chi'n ddewis.

WILLIAM : *(yn closio)* Mae yn dibynnu lle rwyt ti am ei roi
o. Nid yr un papur wneith y tro yn siamber Ned
Llongwr a chegin ora Tan Ffolt.

GWEN : Pam. Papur llofft sgin i isio. Bedach chi'n feddwl
o hwn.

112

WILLIAM : Hitio dim amdano fo. Mae Jane Y Siop newydd bapuro y lobi hefo fo rwan. Mae hi fel offis twrne yno.

GWEN : O. *(Yn troi'r dalennau)*

WILLIAM : Hwnna. Papur gwningod. Hwnna wneith i ti.

GWEN : Ia te, rydw inna wedi gwirioni efo hwnna.

WILLIAM : Mae'n rhaid i ti gael Border Bach hefo fo, beth am y binc na.

GWEN : Does yna neb yn rhoi border heddiw.

WILLIAM : Dyna pam dylet ti roid un.

GWEN : Er mwyn bod yn ffasiwn debig.

WILLIAM : Ia ia. Prun bynnag dyro di fordor. Mae nhw'n hir yn gael o i wely heno. Sut byddwn ni'n dau yn ei gael o i'w wely mor ddilol?

GWEN : Gwrandwch William mae gen i isio deud rwbeth.

WILLIAM : O.

GWEN : Rydach chi fel un ohono ni ers blyddoedd.

WILLIAM : Ydw. Tydwi i ddim run fath â Taid chwaith.

GWEN : Nag ydach wn i.

(sibrwd yn glust William)

WILLIAM : *(Chwerthin)* Pasa ti'n deud ryw newydd wrtha i. Mae pawb yn gwybod . . .

GWEN : Ia ond hwyrach y byddwn i yn priodi reit fuan.

WILLIAM : Dos ona? Ydi . . . Ydi popeth yn iawn?

GWEN : Ydi siwr.

WILLIAM : Phriodwch chi ddim tra bydd o, a gadael dy fam ei hun. Fedar hi byth neud efo fo.

GWEN : Gawn ni weld am hynny. Rydwi wedi meddwl gormod am bobl eraill ar hyd y bedlam. Rwan rydwi am roi clec ar fy mawd chydal Ifan.

WILLIAM : Mi fedrwn i ddwad yma at dy fam. Mi wyddost mor dda rydan ni yn cyd-dynnu, rydan ni fel brawd a chwaer.

(Daw Elin ac Ifan i mewn)

ELIN : *(wrth William)* Wyt ti yma eto. Dwyt ti ddim wedi colli noson yr wythnos yma.

WILLIAM : Taro i mewn i holi am Robat Ifans wnes i, fedrwn i ddim cysgu Elin heb gael gwbod sut roedd yr hen dlawd.

ELIN : Rydach chi'n ffasiwn ffrindia. Wel tydio ddim cystal,
dos adra, mi gysgi rwan siawns, ac yli, golcha dy
wddw cyn dod yma eto.

WILLIAM : Methu'n glir â chael hwyl ar y ngwddw rydwi
ers pan mae yr hen golar yma gen i.

ELIN : Dos rwan.

WILLIAM : Mi alwa'i eto ben bore edrach fyddwch chi'n
iawn yma. Os byddi di angen rywbeth gefn nos dim
ond curo'r pared Elin. Nos dawch deulu bach. Bendith
Duw arnoch chi.

IFAN : Rydach chi'n swnio yn dduwiol iawn heno.

WILLIAM : Yng nghynebrwn Twm Glandwr bum i pnawn.
Un da ydi'r Ciwrat bach newydd na. Dagra yn llygad
pawb yno. Mi ddeudodd stori dda wrtha i pan oeddan
ni yn mochal cawod yng nghwt yr elor. Hanes hen
wraig yn cadw . . .

ELIN : Cadw hi tan yfory.

WILLIAM : O. Ia. Wel. *(Mynd)*

GWEN : Ydach chi eisio swpar.

ELIN : Nag oes mi ddarum i fyta hefo'r Cwmni Drama.

GWEN : Rydach chi yn galed efo William Huws weithia,
mae o yn reit dda hefo Taid.

ELIN : Dydio ddim ar ôl, rydwi'n hanner ei gadw fo. Waeth
gynno fo sut mae Taid. Busnesa a hel straeon, a hel yn
ei fol, dyna ei betha fo. Rydwi am fynd i ngwely am
wn i. Hwyrach cawn i gyd well noson heno. Hwyrach
cysgith Taid ar ôl y tabledi newydd. Peidiwch chitha â
bod rhy hir, rydach chi yn siwr o fod wedi blino
bellach.

GWEN : Nos dawch.

IFAN : Nos dawch. *(Yn synfyfyriol. Edrych yn syth o'i
flaen)*

GWEN : *(Yn codi ac yn ysgwyd ei bys o flaen llygad Ifan)*
Mi fuost ti ymhell iawn rwan Ifan.

IFAN : Meddwl ron i.

GWEN : Ga'i gesio am be.

IFAN : Cei.

GWEN : Meddwl am enw i'n tŷ newydd ni roeddat ti.

IFAN : Naci.

GWEN : Cyfri dy bres roeddat ti ta.

IFAN : Hy hy.

GWEN : Ia?

IFAN : Naci meddwl ron i faint ddyla dyn ei wneud i blesio ei hun a faint ddyla dyn neud i blesio pobol eraill.

GWEN : Fedri di ddim gosod rheol felna i ti dy hun siwr. Rwyt ti yn ormod o athro ysgol weithiau, mae dy feddwl di'n daclus glos run fath a 12 X Table.

IFAN : *(Troi)* Chware teg. Rwyt ti yn rhy ddiawledig, rwyt ti yn credu y dyla pawb gael gwneud fel fyd fyw â fynnon nhw.

GWEN : Nid mater o gredu na mater o beidio credu ydi o.

IFAN : Reit Nyrs.

GWEN : Gwrando Ifan Tycanol. Dy ddrwg di ydi nad wyt ti ddim yn nabod y drwg a'r da, reit a rong os leci di . . .

(Ifan yn mynd i siarad a Gwen yn rhoi ei llaw ar ei geg)

GWEN : Rwyt ti run fath â Mam, Mae Mam yn tendio, tendio, a tendio ar Taid. Mi fasa yn llawer rheitiach iddi fynd am dro, ond deith hi ddim, mae hi yn meddwl mai y peth iawn i wneud ydi tendio arno fo, mae pob merch dda welodd hi rioed wedi bod yn ffeind wrth hen bobol ag ati.

IFAN : Dy farn di ydi hynna, beth wyddost ti sut mae dy fam yn teimlo. Peth arall tydi'r ffaith fod ei phlant, fod pobol ifanc *erioed* wedi *arfer* bod yn dda wrth hen bobol ddim yn gneud y peth yn rong. Tydi pob hen arfer ddim yn ddrwg am ei fod o'n hen.

GWEN : Nagydi siwr, nid dadl yn erbyn traddodiad sy gin i. Mi fedra i ddadlau dros draddodiad weithia. Mi fasa'n dda ar naw gin i tasa Wiliam Huws yn golchi 'i wddw.

IFAN : Dadl dros lanweithdra ydi honna'r lob.

GWEN : Rwyt ti'n fy nrysu fi. Trio deud rydw i na fedri di ddim tynnu lein a deud fod pob peth mae dyn yn neud i blesio—i blesio ei deulu—yn dda.

IFAN : Pam na siaradi di'n blaen. Mae gin ti isio mhriodi fi.

GWEN : Rydw i *am* dy briodi di.

IFAN : Beth am dy daid?

Gwen : Paid â difetha pob dim. Gad i'r hen dôn gron am un noson.

Ifan : Mae o yma y tydi?

Gwen : Ydi. Fydd o ddim yma'n hir. Anghofia fo am heno a chara hefo mi.

Ifan : Mae gin i isio meddwl yn glir. Fedra i ddim caru os na fydda i'n hapus.

Gwen : Am beth dwl i'w ddeud. Tasat ti'n gwbod y peth cynta am garu mi wyddet mai wrth garu mae bod yn hapus.

Ifan : Rhaid inni feddwl am neud rhwbath.

Gwen : Rwyt ti'n medru bod yn hen ferchetan bach weithia.

Ifan : Rydw i am fynd i ngwely.

Gwen : Sylcio.

Ifan : (yn codi a mynd) Rydw i'n wirion, rydw i'n ddwl, rydw i'n hen ferchetan, a mae gin i feddwl fel 12 times table.

Gwenh A mi rwyt ti'n benderfynol fel mul Sion y Potiwr.

(Ifan yn mynd trwy'r drws a Gwen yn gweiddi)

Gwen : O, Ifan.

Ifan : (yn rhoi un cam i mewn) Sut wyt ti del?

(Ifan allan dan sgyrnygu. Gwen yn smocio darn o sigaret, yn codi a gwrando wrth y drysau, yna yn cymysgu dôs i Taid).

Gwen : Iechyd da, Taid *(mynd trwodd)*

YR UN OLYGFA, BORE TRANNOETH.

(Elin Ifans yn gweiddi wrth droed y grisiau.)

Elin : Gwen! Gwen! Ifan! brysiwch.

(Daw Gwen i lawr.)

Elin : Taid! Mae o wedi mynd.

Gwen : Wedi marw?

Elin : Ia, tyrd.

(Y ddwy'n mynd i weld Taid. Daw Ifan i mewn yn ei

grys a'i drywsus, ei grysbas ar ei fraich. Sylla'n hir ar draws y llwyfan, a thanio sigaret. Pesychu. Taflu ei got ar gadair. Daw Gwen i mewn.)

GWEN : Glywist ti mam yn deud?
IFAN : Do.

(Gwen yn gafael yn nwylo Ifan ac yn dawnsio.)

GWEN : Mi fyddwn yn hapus rwan.
IFAN : Byddwn, debyg.
GWEN : Byddwn, byddwn, byddwn, coelia. Mi bicia i at mam.

(Daw William Huws i mewn.)

WILLIAM : Sut mae'r hen styllan bore ma?
IFAN : Newydd farw.
WILLIAM : Paid â chyboli.
IFAN : Ia wir.
WILLIAM : Ewc! *(yn amheus)* Cnebrwn bach neith Elin tybed?
IFAN : Dwn im byd, gwnewch gymwynas bach â fi, Wiliam.
WILLIAM : Siwr, ngwas i, sgin ti lawar o'r hen betha 'na?
IFAN : *(yn rhoi sigaret i William)* Tasach chi'n deud wrth Mr. Huws yr ysgol na fydda i ddim yno heddiw.
WILLIAM : Siwr, siwr.
IFAN : Naci, mi sgwenna i nodyn. *(yn sgrifennu)*
WILLIAM : Fel fynnoch di, ond mae gin i gof fel eliffant.
IFAN : Dyma chi, a rhowch gnoc ar Doctor Gruffydd wrth basio. *(Eistedd Ifan a'i ben yn ei ddwylo. Daw Elin a Gwen i mewn.)*
IFAN : Mae'n ddrwg gin i mod i'n beth mor sal Mrs. Ifans. Tydw i'n dda i ddim pan mae peth fel yma'n digwydd. Roeddan ni'n tri yn gweld y diwedd yn dwad i Robat Ifans, ond pan ddaeth o, wel . . .
ELIN : Hitiwch befo, Ifan, rydach chi wedi bod yn hynod o dda. Fasa well rhoi gwybod i Doctor Gruffydd?
IFAN : Rydwi wedi anfon William Huws yno.
ELIN : Fuo William yma.
IFAN : Do.

117

ELIN : Rhen dlawd, mae o yn driw i mi.

(Daw'r Doctor i mewn)

DOCTOR : Wel. *(Cysuro Elin Ifans a'r ddau yn mynd i weld y corff)*

GWEN : Wyt ti yn hapus.

IFAN : Dwn im.

GWEN : A ninnau yn cael priodi. Sylweddola mae rhen greadur wedi mynd.

IFAN : Mi faswn wrth fy modd yn dy briodi di ond yli rhaid i mi gael gwybod un peth.

GWEN : Be.

IFAN : Sut buo Robat Ifans farw.

GWEN : Does gen ti ddim ffydd yna i yn nagoes. Dwyt ti ddim yn fy ngharu i o gwbl yn nagwyt. Tasa ti yn fy ngharu i mi fuaset yn fy mhriodi heb holi dim.

IFAN : Duw duw. Rydwi yn dy garu di, ddigon i dy briodi di pryn bynnag. Dyna pam rydwi yn crefu arnat ti ddeud y gwir wrtha i. Mi briodwn wedyn fory nesa os leci di. Sut buo dy daid farw?

GWEN : Mam cafodd o bora ma â'i ben rhwng ei ddwylo.

IFAN : Pwy oedd y dwytha i weld o'n fyw.

(Daw'r Doctor i mewn ac Elin)

DOCTOR : Wel dyna ni rhaid trio wynebu'r petha ma'n gall debig. Mae baich mawr wedi mynd oddiar eich sgwydda chi i gyd.

IFAN : Rhaid. Doctor ydio yn ormod i mi ofyn i chi sut buo Robat Ifans farw.

DOCTOR : Nag ydi siwr. Pam?

IFAN : Deudwch wrtha i.

(Ifan a Gwen yn closio at ei gilydd.)

DOCTOR : Mi ddaeth y diwedd yn union fel deudis i neithiwr. Diwedd naturiol hollol i ddyn o salwch Robat Ifans.

IFAN : Wir. Ydach chi'n deud y gwir?

DOCTOR : Ydw, pam?

(Mae Ifan yn symud i gusanu Gwen—ond yn cael clustan.)